茄子先生 著

# 茄子先生的手帳記事

繪畫苦手、沒靈感？輕鬆寫出值得回味的生活記錄

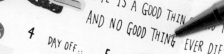

果禾文化

# 茄子先生的手帳記事
## 繪畫苦手、沒靈感？輕鬆寫出值得回味的生活記錄

作　　　者　茄子先生

企 劃 編 輯　黃郁蘭
執 行 編 輯　黃郁蘭
版 面 構 成　郭哲昇
封 面 設 計　16design studio

業 務 經 理　徐敏玲
業 務 主 任　陳世偉
出　　　版　松崗資產管理股份有限公司
發　　　行　松崗資產管理股份有限公司
　　　　　　台北市忠孝西路一段 50 號 11 樓之 6
　　　　　　電話：(02) 2381-3398
　　　　　　傳真：(02) 2381-5266
　　　　　　網址：http://www.kingsinfo.com.tw
　　　　　　電子信箱：service@kingsinfo.com.tw

ISBN　　　　978-957-22-4551-4
圖 書 編 號　UM1601
出 版 日 期　2016 年 (民 105 年) 6 月初版

國家圖書館出版品預行編目資料

茄子先生的手帳記事 / 茄子先生著. -- 初版. --
　臺北市：松崗資產管理，民105.06
　　面；　公分

　　ISBN 978-957-22-4551-4 (平裝)

　　1.筆記法

019.2　　　　　　　　　　　　　　105007087

茄子先生的手帳記事

繪畫苦手、沒靈感？輕鬆寫出值得回味的生活記錄

一直使用著茄子先生這個稱呼來代替自己。其實是因為我發現對周遭的人說明自己是多麼喜歡手帳這件事，是很難啟齒的，也很難去應對像是「一捲紙膠帶多少錢？那你有幾捲？」「這本手帳要這麼貴？」等等的問題。我常常想，若是喜歡一個人是沒有理由的，那麼喜歡手帳或紙膠帶，又何嘗不是這樣呢？

手帳對我來説，一直是很有溫度的存在，不單單只是一本空白筆記本而已。反倒像是經營一段感情，需要恆心與毅力才能完成。每個人在挑選手帳時，都會有一套自己的顧慮和想法，日積月累的使用後，不同的手帳更會產生不同的生活軌跡，跟隨著使用者的習慣而變得柔軟、熟悉。

在摸索著如何適應新的手帳時，同時也在經歷一段重新體認自我的過程。使用一段時間之後，回過頭來審視，常常會因為記錄了生活中某些枝微末節，進而了解到自己的想法或性格是如何演變的，就像是為自己設定的獨立時間軸，從中看見真實的自己。

喜歡寫字、喜歡利用手帳來記錄生活的種種細節，不管在旁人的眼裡看來是否重要，或者渺小得不可思議，這都無所謂。

在手帳的世界裡，我們享有絕對的自由，愛怎麼寫就怎麼寫，從來不需要對任何人交代，這就是我喜歡寫手帳的原因。因為那些別人覺得根本不重要的小事，在我的心裡，都是很重要很重要的大事。就像陳綺貞的歌裡提到：「每天都是一種練習，用今天換走過去。」每天寫手帳的時候，我也是這樣想著。

§ 1 § 手帳裡面都在寫什麼?

第 2 章 微手繪

—NOTES—

第 3 章　紙膠帶

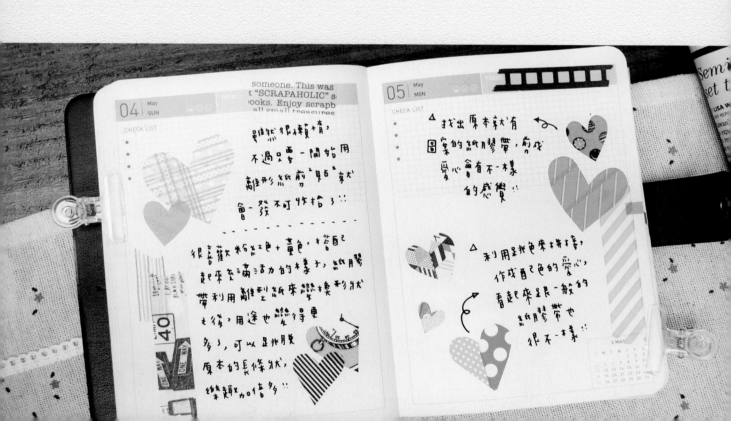

第 4 章　貼紙

# 第5章 紙膠帶 + 貼紙

第 6 章　排版の科學

第 7 章　手作卡片

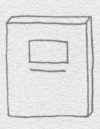

1　手帳裡面都在
寫什麼?

寫手帳是我從國小以來斷斷續續的一個習慣,有手帳記錄生活的時候,總會覺得自己的一天過得比較有條理,記性也比較好。如果因為考試或工作忙碌而沒有使用手帳一段時日之後,就會覺得那段時間過得渾渾噩噩,回想起來也是一片空白,有種虛度光陰的感受。

漸漸地,我便開始喜歡上那個習慣用手帳記錄生活的自己。

通常只是拿來記錄生活瑣事的手帳，其實對整理思緒很有幫助呢！尤其是可以馬上回想起今天自己最印象深刻的事，也許是午餐吃到了好吃的小菜，或是買到可愛的襪子。

對手帳產生了感情之後，自己就會為了想填滿手帳，產生動力去做很多有趣的事。聽講座、尋找不同的景點出遊、看展覽，平凡的生活也漸漸多采多姿了起來。

把寫手帳變成一個會讓自己開心的習慣

很多人不知道該如何寫手帳的原因，常常是因為「沒有什麼事情好寫」。面對手帳空白一片，有點不知所措，然後在空白了一兩天之後，由於沒有頭緒該如何補上之前的進度，索性就這麼半途而廢了。實在是很可惜。

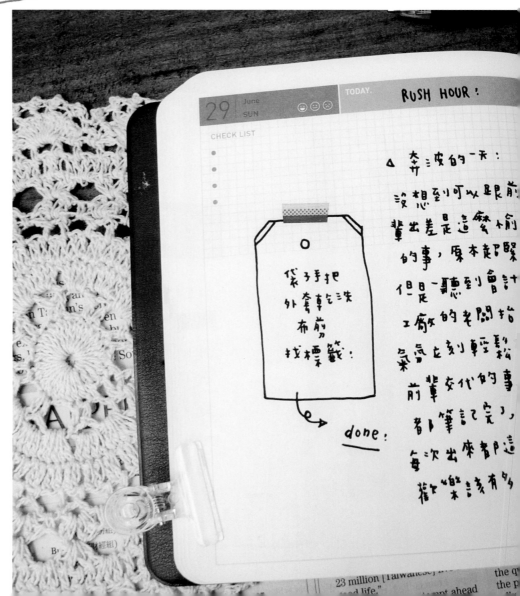

## 從流水帳記事開始

為了避免這樣的窘境一再發生，建議大家可以先從「流水帳」的形式慢慢開始，記錄一些平凡的小事。

不管是三餐、天氣、通勤路線、工作內容還是小感冒，喜歡的電視節目或抄寫自己喜歡的句子，都可以成為自己手帳內的記錄。累積一段時間之後，寫手帳會變成很有成就感的一件事！

## 善用二分法：理清頭緒，今天該寫什麼好

對於初學者面對手帳時不知該從何下筆的困擾，建議可以用「二分法」讓自己可以回顧一整天的行程，進而篩選出想要記錄的事項。

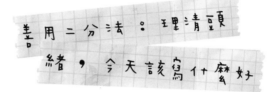

| 二分法 | |
|---|---|
| **每日的固定行程** | **不是每天會做的事** |
| 上課 | 聚會 |
| 補習 | 運動 |
| 上班 | 購物 |
| 三餐 | 出遊 |
| …… | …… |

若是擔心自己會忘記要記錄些什麼的話，現在手機相當方便，可以隨時利用工作空檔或通勤的時候，試著回想自己有沒有需要記錄在手帳的事情，然後用手機裡面的記事本將其記錄下來，等到晚上寫手帳時就不怕忘記了。

另外，洗澡時也是一個很好整理思緒的時間，試著找尋一些生活的蛛絲馬跡記錄下來吧！

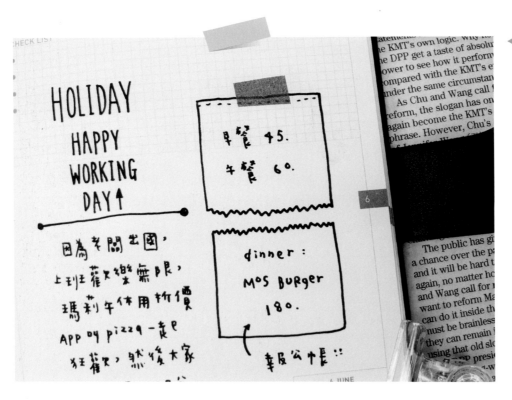

◀ 擔心腦子一片空白的話，可以去翻翻錢包，從自己每天的消費紀錄來著手。

別害怕空白一天！

「如果真的很忙很累，沒有寫手帳的動力怎麼辦？」

那就不要寫字吧！手帳應該要是讓自己整理心情、創造成就感的一件事，如果一直對自己施加壓力，反而會讓自己產生排斥的心態。

換個方向想想，手帳空白一天就代表那一天的自己很忙、很累，或者過了非常充實的一天，往後翻閱到留白的那一天，反而會留下一點想像的空間。

或者你也可以找個心情貼紙或貼上一段紙膠帶，沒有文字、只有圖像的記錄，遠比逼迫精疲力盡的自己罰寫手帳還要來得開心一些！

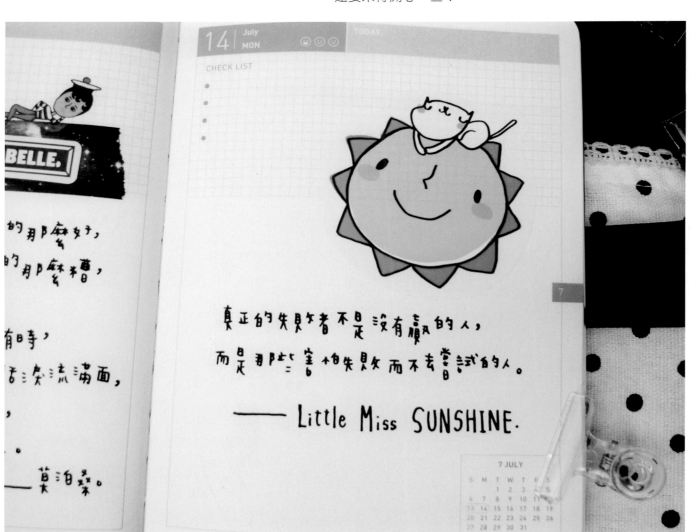

市面上販售的手帳種類相當多元化，可以先想想自己的需求後再選購。目前大概可以分成下列幾種：

## 1. 月記事

攜帶型的小本手帳通常都只有月記事，另外其他款的手帳通常也會收錄月記事在裡頭。

## 2. 週記事：一週一頁／一週兩頁

週記事算是大家很熟知的格式了，現在很多週記事的手帳都會採用一週兩頁的作法，多出的一頁空白頁可以讓使用者靈活運用，是很適合初學者使用的手帳。

## 3. 兩日一頁

介於週記事與一天一頁當中的格式，如果常常覺得自己寫的字數太多，週記事容納不了，又擔心一天一頁的頁數太多，容易會有壓迫感的人，可以試試看兩日一頁。

## 4. 一天一頁

對於習慣每日記錄生活的人來說，一天一頁的手帳是很適合用來陪伴自己的夥伴，不過若是沒辦法每天空下一點時間來寫手帳的話，老是在追趕補足之前漏寫的進度，可能會很辛苦喔！

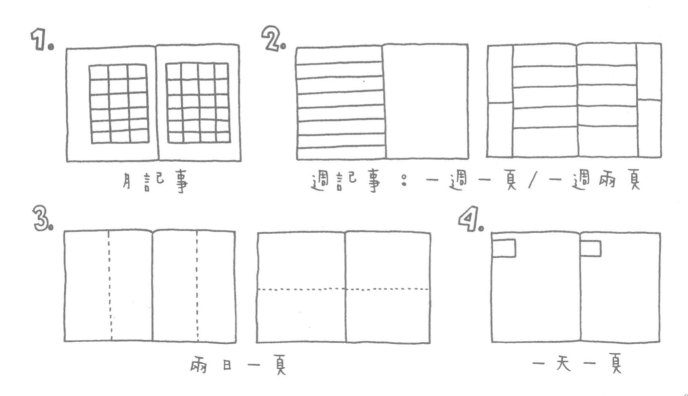

1. 月記事

2. 週記事：一週一頁／一週兩頁

3. 兩日一頁

4. 一天一頁

我喜歡將月記事當作一日的「重點」摘要，節錄一天當中最想記錄的一件事情，再用不同的裝飾，創造當月的獨特風景。

月記事

▲ 像是「每日頭條」的概念，就記錄下當時最想強調的一日事件吧！

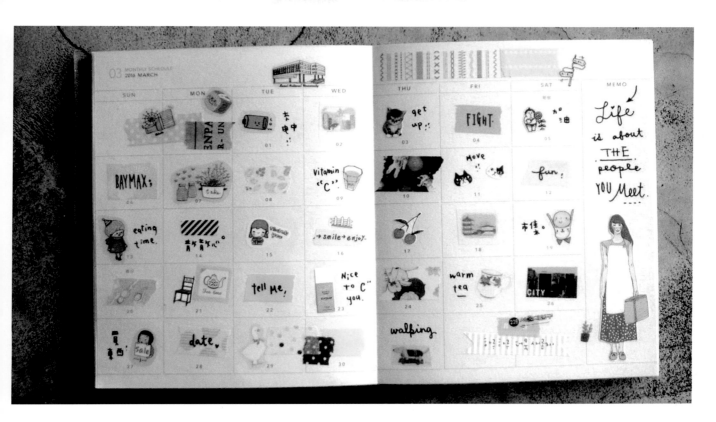

不一定要寫很多字才能記錄，有時候只要短短一個詞，就足以提醒自己一天過得精采。

一週兩頁
的週記事

像這樣由一週一頁加上一頁空白頁
所組成的一週兩頁格式,是現在很
多人都會選擇的樣式。

因為格子比較少，就不會產生太大的壓力了。再來因為有很多尺寸可以選擇，喜歡裝飾的人，也可以選擇尺寸比較大的週記事手帳，既有多餘的空間能夠裝飾，又不用擔憂頁面太多空白處而不知所措。

▼ 空白的部分可以隨心所欲地裝飾，貼上旅行的票根也很方便。

**電影試映券** 〔非賣品〕not for sale
SHOWTIME 秀泰影城
10/20　19:00PM
今日秀泰影城
台北市峨嵋街52號
1619號

還記得小時候
曾在電視上看見類似
泰上動畫還是絲偶雕
的「虎姑婆」，今天看
小王子又在想那些小
時候的回憶了。
「長大不是問題，
　　遺忘才是。」
溫暖的膠紙定格技
術的動畫，就好像
看會動的故事書似
的，彷彿又再被
書上的角色重新感
動了一次，千萬不
要抛棄童年那多彩多姿
的想像力呀...

「製作人：剪接，
面對好的與更好的
的，因為太貪心，想
的話，反而就會失

It's the time you
for your rose the
your rose so impo
★ Little

音樂家不會退休，
音樂才會停止，我
這點無庸置疑

You only have

It's always about
too soon, no one un
too late, everyone

Anna

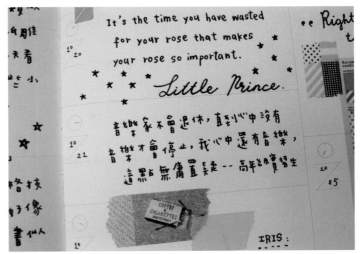

▲ 不喜歡記錄生活細節、或是想不出來要寫什麼的人，試著抄寫喜歡的句子或是歌詞吧，慢慢的充實自己的心靈，仔細記錄一段時日之後，回頭翻閱也會非常有感觸，就好像累積許多的養分一樣。

若是沒有多餘的素材裝飾空白頁面，可以挑選當週的一件事來記錄，例如留下電影的票根加上簡單的心得，很快就可以將空白處填滿了！

兩 日 一 頁

兩日一頁的手帳，記事的範圍會比週記事還要多一些，介於週記事與一天一頁之間。

兩日一頁的版面，很適合喜歡寫手帳、發現週記事有點不夠用、又擔心一天一頁太多頁會有壓力的人使用。即使突然連續很多天沒寫手帳，空閒時間再補齊也不會花太多時間。

▲ 因為每一頁都是兩天的份量，頁面已經被一分為二，所以排版上會比較輕鬆。

▲ 若是對文字與裝飾圖案不知如何安排、容易不知所措的人，可以嘗試看看這樣的手帳，或許恐懼就能迎刃而解。

一 天 一 頁

由於每天都有完整一頁的空白頁面，版面夠大，所以可以很自由的選擇裝飾物，習慣畫畫、收集票根和名片、或者記錄追劇心得的人。也可以有充足的空間記錄自己所想要寫下來的事情。

缺點是只要一天沒有寫就瞬間空出一頁空白，很容易帶來壓力，如果無法持之以恆的話，非常容易半途而廢。

怪誕的小狗，
歪斜半的可愛

電視重播我的失憶
女友，立刻抓緊時機
守在 TV 前等播出，重看
了好多遍仍然超感動，
茱兒芭莉摩實在是
個可愛小甜心，不
管做什麼都好
討喜，like her ∵

oohlala：
fifty stickers
ver. 2

在阪急逛了半
天卻找不到中意的
游泳衣，想找一件
泳衣也太難了吧：為
奇怪的裙子，荷
圖案呀!? 啊逛得

◀ 一天一頁的手帳即使貼上大尺寸
的貼紙與紙膠帶，也能有足夠的
空間記事。

▶ 如果擔心當日的文字量不夠的話，
可以用多一點裝飾物來填補空白的
地方。

02 June
MON    TODAY.

CHECK LIST

10 × 10 買的
oohlala： ←
fifty stickers
ver. 2

在阪急逛了半
天卻找不到中意的

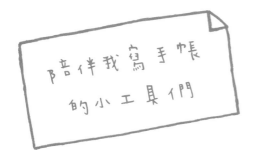

陪伴我寫手帳的小工具們

在經營 facebook 粉絲團時，很容易接到大家詢問這一類的問題，因此我將手邊的工具都一一拍照，簡短的分享一下平時習慣使用、用得很順手也不想換了的夥伴們。

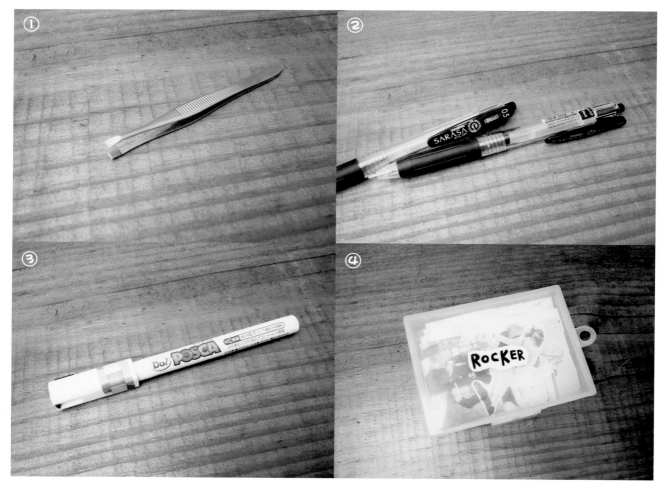

## ① 小夾子

每天寫手帳絕對會用到的東西！

很多人喜歡用手直接撕下貼紙再貼到手帳，但我有點小潔癖，不喜歡貼紙的背後沾染上太多指紋，有時透明底的貼紙或紙膠帶也很容易因此黏到空氣中的棉絮，搞得髒髒的，這時夾子就可以派上用場啦！

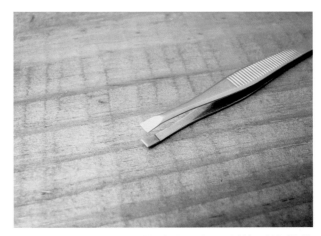

應該在很多賣美容小物的店裡都可以找到這樣拔眉毛用的夾子，有斜口和平口的兩種，我自己是習慣用平口的夾子。

用夾子先夾取自己要拼貼的素材再貼到手帳，比起用手指拿取的動作還要細微一些，也可以在貼之前重新確認、核對要貼的位置再下手，更不容易出錯。

透明底的貼紙背後容易沾染到異物，用夾子夾取可以避免這樣的情況發生喔！

## ② 手帳裡面使用的黑筆

很多人喜歡使用很多顏色的筆來寫手帳，但是我最喜歡黑筆了。已經數不清到底買了幾枝的 Zebra SARASA 系列的黑筆。中性筆的質地不太挑紙，寫起來也很順手，所以一直是我的愛將。

習慣使用 0.5mm 與 1.0mm 的筆尖，大概就是電腦打字裡正常字體與粗體的分別。平時書寫時使用 0.5mm；遇到想強調的標題或者是英文字的時機，就使用 1.0mm 來寫粗一點、大一點的字。

可以寫在紙膠帶上的筆：數不清到底買了幾枝的 Pilot Twin Marker，有粗細兩種筆頭。是我在苦惱某些品牌紙膠帶寫不上字時，猛然出現的救星。

◀ 聞起來只有淡淡的酒精味，使用起來非常輕鬆，乾掉的筆跡不會褪色，拿來塗鴉也很適合。

## ③ 牛奶筆

有人常常問牛奶筆是什麼，其實就是寫得出白色墨水的筆，有點像立可白的感覺又不會臭臭的。

目前我最常用的是 uni POSCA 系列這枝牛奶筆，不管是寫在牛皮紙或是深色的紙上，遮蓋度都很好，寫完記得要留點時間等筆跡全乾，墨水乾透之後看起來會比剛寫完時還要更白一些。

◀ 因為 POSCA 的墨水裡面有粉末，所以使用前先搖一搖會讓墨水比較均勻一些，用完記得筆蓋一定要蓋好，不然很容易乾掉喔！

## ④ 透明收納盒

收納尺寸比較大的單張貼紙，或是從報章雜誌剪下來的拼貼素材時，我會這樣放進透明的收納盒裡面，方便收納，也能一眼看出裡面裝了什麼東西。

收集圖片時可以不用照著輪廓剪下來！先照著圖片外圍大約剪成四方形，等到使用時再照著輪廓修剪。這樣可以避免薄薄的紙張因為翻找而變得爛爛舊舊的。若是比較細微的圖案，也可以將外圍的四方形剪的大塊一點，方便尋找。

▲ 盒子的大小，大概是自己慣用手帳的一半左右大就可以了，超過這個大小的話，貼進去手帳裡面也會顯得過大而不容易拼貼。

Relax.

Nice to meet U ♥

·· AFTER ··

friday:
如果提早下班
的話，記得去書店
逛逛聖誕卡片
還有年曆!!

BE
FRIEND.
BE
NICE.

第 2 章　微手繪

畫畫在許多人眼裡好像是遙不可及的事，看著別人精緻的作品，
就擔心自己辦不到而卻步的話，真的會錯失很多畫畫的樂趣。

在我的手帳裡面，時常會出現一些手繪的圖案與文字，構成的要
素幾乎都是簡單的線條。

所以你可以使用描圖紙來描著筆劃開始模仿筆劃，或者是要直接學著抄寫也可以，總之，先從建立自己的自信心開始，試試看吧！

◀ 畫下生活常見的小素材！

Relax.

Nice to meet ü ♥

∴AFTER∴

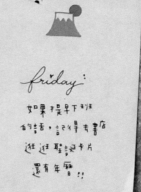
friday:
如果提早下班
的話，記得去書店
逛逛聖誕卡片
還有年曆!!

BE
FRIEND.
BE
NICE.

文字也可以是裝飾手帳的好幫手，對於許多苦惱自己的中文字寫得不夠漂亮的人而言，練習英文字是一個很好的入門，我選了幾個在手帳裡面自己常用的手繪英文字體跟大家分享。

因為每個人的字跡都不同，所以寫的時候也不用太過拘泥於整齊的線條與尺寸，有點歪歪斜斜的感覺才有手繪的溫度，更有自己獨特的味道。

英文字在書寫上會比中文字簡單，所以大家可以在手帳裡面嘗試用「畫」的方式去創作英文字，也會變成手帳裡裝飾的一部分喔！

### ☆ 瘦長型的英文字體

把平時習慣寫的英文字全部拉得瘦瘦長長的，靠得緊密一些，就可以創造出圖像化的文字，秘訣是橫的筆畫盡量短短的、而直的筆劃就要拉得長一點，每個文字的長寬要盡量控制的差不多，才會有整體感。

## ☆ 在筆畫的尾端放上襯線吧！

英文字的尾端加上襯線之後，字體的感覺會變得更加正式一些，寫法不變，只要將每個筆劃的最後，都額外畫上一條短短的線就好了。

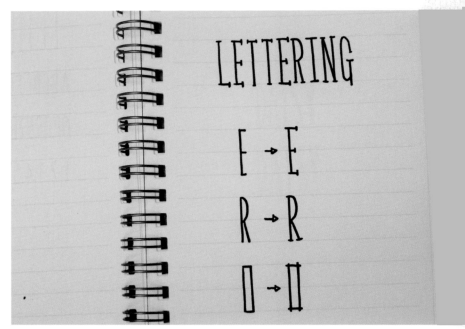

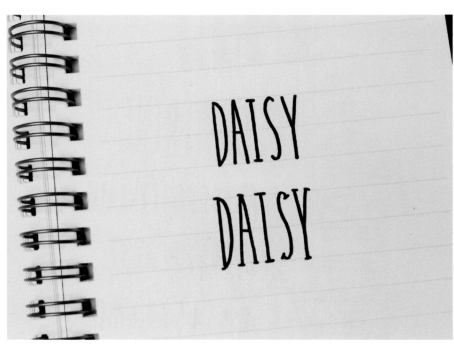

◀ 比較一下有無襯線的差異，記得英文大寫的 I 可以不用額外畫上襯線喔！

## ☆ 印刷體感覺的英文字

就像是書上或報紙裡會出現的字體一樣，比起瘦長的字體，因為有了厚度，所以更有存在感了，厚度的部分可以自由填入喜歡的圖案或顏色，變化度非常大，所以很適合用來做裝飾。

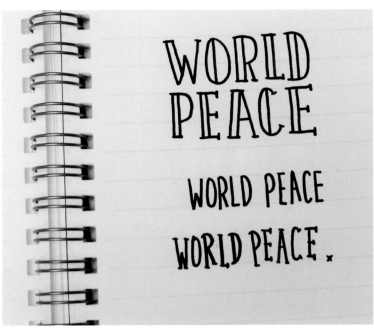

▶ 加上厚度之後，字體的存在感變大了，裝飾性也很多變。

◀ 試著把字的長寬變化一下，如果把字寫得矮矮短短的，看起來也不一樣了。

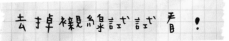

如果保留住厚度，卻去除掉襯線的元素，字體的樣子又會不一樣了

◀ 在空格中填上雜點或是斜線，可以突出不一樣的個性。

## ☆ 胖胖的黑體字

把英文字變胖之後的輪廓畫下來！因為是完全空心的字體，填上圖案或是色彩都非常方便，加上手繪線稿不規則的特性，感覺是很有活力的字體。

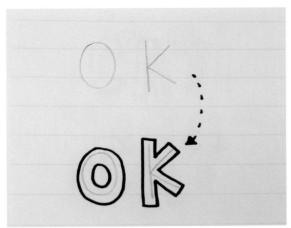

▲ 一開始無法直接畫出輪廓的初學者，可以先用鉛筆打草稿，就像先畫上骨頭、再長出肉一樣。慢慢的熟悉英文字的外圍輪廓之後，就可以省略這個動作了。

▲ 中間圈狀空心的部分，例如字母 O，可以換成其他的形狀增加趣味性，畫上愛心試試看吧！

## ☆ 做出立體的效果

在字的右側和下側加上一段厚度，營造立體的感覺，如果塗黑的話，就會變成陰影了！

▲ 陰影的部分畫上斜線的裝飾讓字體本身留白，或是在字體中間填上雜點、將陰影塗黑，都會讓字的面貌變得更加豐富有趣。

▲ 加上一點自己的創意吧，融化的感覺彷彿真的替文字加入了甜甜的味道！

## ☆ 雖然看起來很難，但是認真練習就能很快上手的英文書寫體

書寫體的難度比前面幾種字體高了一些，主要是「連筆」的部分令人望之卻步。千萬別被看起來很複雜的筆劃給嚇傻了，要記得我們從小寫的中文字絕對比英文字還要難上好幾百倍，所以這 26 個英文字，是嚇不倒我們的！

英文書寫體有很多種寫法，在這裡分享的是我平時習慣的、也是很多人選擇用來入門的寫法。大部分都跟一般字母的寫法差不多，只是多了一些連筆或是勾來勾去的部分，比較容易閱讀，不太會有自己看不懂自己在寫什麼的窘境發生，也很容易上手。若是大家有發現其他不同的寫法也別擔心，只要能夠寫得美觀順手，一切都沒問題啦！

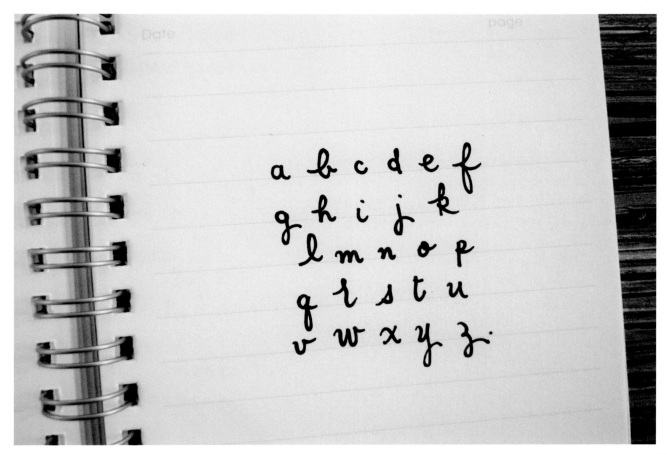

## ☆ b v.s. f

小寫的 b 和 f 寫法真的是一模一樣。有的人喜歡把 b 的肚子寫的大一點，而 f 則拉的瘦長一點。

這些都沒關係，只要記得 b 跟 f 的身高不一樣，f 是個長腿叔叔，腳比 b 這個矮冬瓜還要長很多。

字母的底線部分，b 是剛剛好寫到底線，f 則是會超出底線。記得練習的時候一定要分辨出它們的差異，把握住這個原則，才不會讓人誤會你寫錯字囉！

## ☆ r v.s. s

小寫的 r 和 s，有人喜歡強調上方的圓弧狀，會把那個圈圈寫得特別明顯，有的人則是喜歡繞得小小的，幾乎看不見為止。其實都可以，反而是筆順需要多練習，繞來繞去的部分寫得順手的話，弧度看起來就會自然很多。

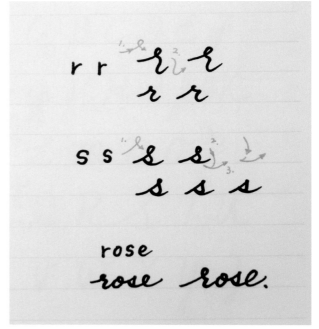

大寫也有很多跟小寫雷同的地方，加上大寫的出現時機比小寫少很多，所以如果小寫練習的順手的話，大寫就沒有什麼問題，總之還是需要練習練習練習！

大寫的英文字看起來跟原本的筆順幾乎都相去不遠，所以在辨識上也比小寫還要容易閱讀一些，在書寫時連筆的部分，可以不用刻意跟小寫字母連成一串也沒關係。

## ☆ H 的寫法

分享兩種 H 的寫法，左邊為一筆完成，有的人會覺得比較難一點，這樣的話可以先選擇右邊分成兩筆的寫法，在畫上一條直線之後，第二筆像是 d 的寫法一樣，組裝在一起就可以了。

## ☆ B v.s. S

S 不管大小寫其實都是一樣的，大寫的 B 可以連筆勾出來，也可以不勾，如果要連接後面的筆劃的話，記得要往後多留出一些連筆的區域，好接續後面的動作。

## ☆ K v.s. R

大寫 K 和 R 的筆劃有一點相似，R 跟小寫 k 又很像，放在一起看寫法會更清楚，注意小寫的 k 上面留的部分比較多，不然看起來會很像 R 喔！

◀ 看一下 R 和 k 的對比，寫成單字的話，一定要注意大小分配才不會影響閱讀。

## ☆ I v.s. J v.s. Q

I 和 J 的寫法也很像，Q 的話就是像阿拉伯數字 2 的寫法。

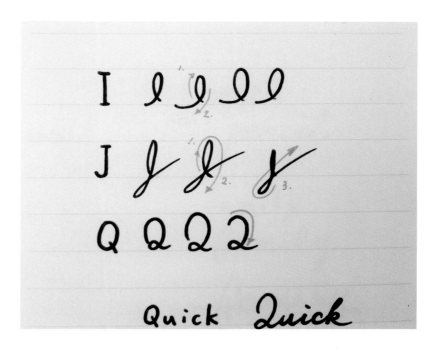

## ☆ J v.s. j

有些人不會刻意區分小寫的 j 與大寫的 J，統一用大寫 J 的寫法，其實也可以。

雖然看起來都是連在一起的筆劃，其實中間是會有接續的地方。筆劃與筆劃中間會「中斷」，再接著寫下一筆，將它們連起來。像圖片的 r 到 a、n 到 g 中間，就是這樣子寫的。

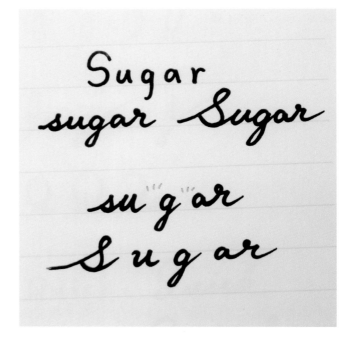

像是 g 跟 a，這樣起筆像是先「逆時針方向」開始的字，我會習慣先中斷再接續寫下一個字，如果硬要接著連筆寫下一個字的話，寫出來的字就會看起來會比較不乾淨俐落。

c 跟 o，也是起筆時先「逆時針方向」才開始寫的字，寫完之後中斷、再接著連接下去寫後面的字，寫完之後看起來還是連在一起的。

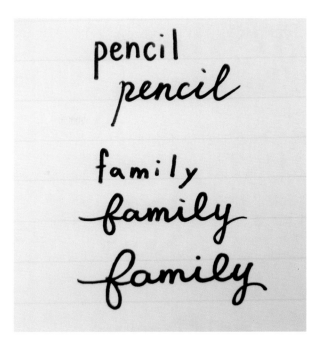

在練習寫書寫體的時候絕對要多找一些單字來練習，連接不同的前後字母時，連筆的感覺也會不一樣，順便可以找出自己最習慣的寫法。

為了保持書寫時不間斷的手感，像是 t 的橫線、i 與 j 的點，還有 x 的斜線，通常都會習慣放在最後才依序點上。也可以在這個時候順便檢查自己有沒有拼錯字母或漏寫的情況，是一個需要細心審視的小動作，尤其點點很容易一不小心就點錯位置，所以更應該要張大眼睛檢查清楚！

◀ 記得找長一點的單字來讓自己練習連筆的手感，越長的單字寫起來越有成就感！

就算想不出要練習甚麼單字才好，也隨時隨地都可以練習的功課，就是順著 abcd…到 z 一次寫完，絕對可以讓自己連筆的功力大大提升。

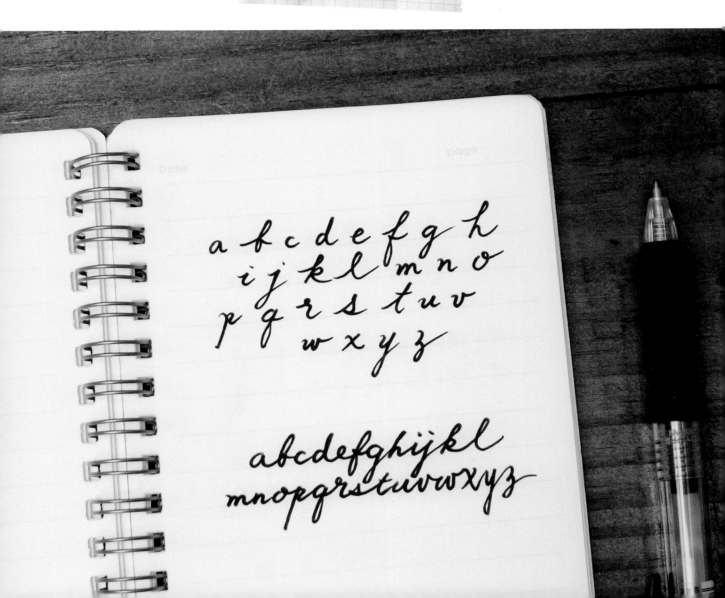

只要用直線線組合，就可以畫出來的框框！

對畫畫苦手來説，簡單線條的框框既可以滿足自己想畫畫的慾望，又不會因為容易失手而頭疼。

每個框框跟貼紙或紙膠帶都能互相搭配，也能填入各式各樣的文字，標記重要事項或記錄有趣的小細節，都會讓手帳的頁面更加獨一無二。

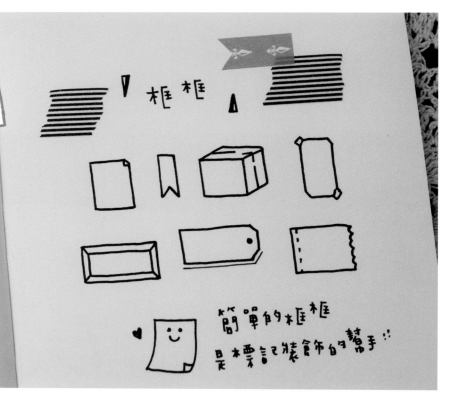

框框

簡單的框框
是標記裝飾的幫手‼

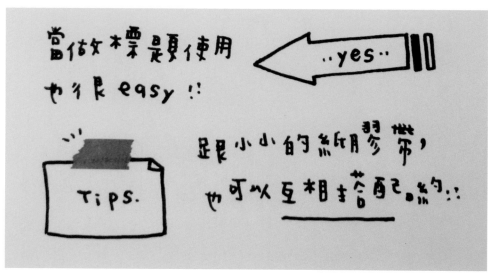

當做標題使用也很 easy‼

..yes..

跟小小的紙膠帶，也可以互相搭配喔‼

Tips.

◀ 記錄用餐的餐廳，框框加入簡單的英文字，旁邊再使用餐具的貼紙裝飾。

▶ 把貼紙裝飾在框框的上方，框框四個角點上黑點做裝飾，像是廣告看板的樣子。

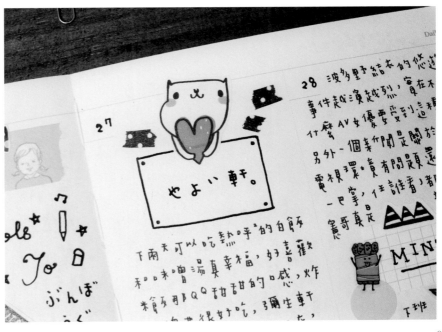

▼ 畫上一個衣服的標籤牌，再貼上紙膠帶點綴。

▶ 細細長長的框框有點像是收據明細的模樣，除了文字之外，中央畫上橫線也有裝飾的作用，加上一點細節，感覺會更細緻。

◀ 畫上雲朵做成框框的樣子也很適
合使用在手帳裡面。

▶ 在框框內畫上幾條水平線之後，
在旁邊點綴一樣具有手繪風的小
貼紙，有助於提升整體感！

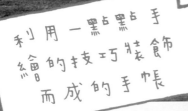

利用一點點手
繪的技巧裝飾
而成的手帳

## 02 August SAT 😊😐☹️ | TODAY. 方糖咖啡館。

CHECK LIST

# SUGAR CAFE.

INHALE
EXHALE

**Some days
you have to create
your own sunshine**

Bye

- 主塗打早午餐沙拉。
- 焦糖瑪奇朵。
- 蕃茄培根麥面包
  早午餐。
- 香蕉巧克力
  煎鍋蛋糕。

數不清是第
幾次來這裡了，
喜歡 pancake ♡
相聚的氣氛
和食物也是完美！

## 03 August SUN 😊😐☹️ | TODAY. dinner outs

CHECK LIST

- 羅勒士皆根帕尼
- 3種起司烤燉
- 可樂。

# GURU
# HOUSE

要不是朋友帶路還真不知道西
有這樣的餐廳，panini 好好
蛋餅也是，超級皮香的，餅
裡都不知道該吃什麼，
以後束犬有�候各單了！

在手帳裡面記錄下喜歡的咖啡廳，menu 菜單也可以一併記錄。

◀ 別忘了一開始說的把英文字加上襯線的寫法，擔心畫面太過單調的話，就讓文字成為裝飾的主角吧！

▶ 店名直接用手繪英文字記錄，不僅清楚明瞭，也可以是手帳裝飾的一部分。

樂華!

好久沒去夜市了，喜歡吃
阿來鐵板燒！吃得飽飽的
再沒目的地的閒逛，飯後散步的最
佳地點就是夜市啦！順便把日用品
和寵物用品一次買齊，提這麼多東西
走回家超有成就感，消毒點熱量。

每次月底
整理會議
一樣緊張
個檔案就
超浪費紙
紙中，最
會如此

減去繁雜的紙膠帶與貼紙裝飾，畫上簡單的圖案來妝點空白的手帳。

▲ 把框框加上陰影的話，看起來會更有立體感。

▲ 在畫框外貼上透明底的花朵貼紙，加上一些簡單的裝飾，來美化框框吧！

挑戰用手繪圖案來填滿月記事的空格，發揮創意來記錄自己的每一天！

▲ 在空白處畫上自己擅長的圖案做裝飾。

▲ 抄下自己喜歡的句子，當作生活紀錄的一部分。

把熟悉的生活物品填入空格內，就算是微不足道的小細節，也值得玩味。

害怕畫圖而空下太多留白處時，不妨利用紙膠帶和手繪來一起完成月記事，紙膠帶的顏色豐富了頁面，手繪的線條則是加入了活潑的生氣，不需要刻意構思畫面，讓平凡的生活小事與紙膠帶一同編織生活的色彩。

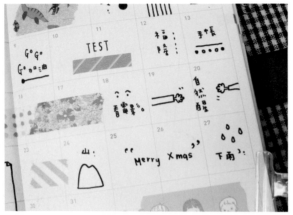

▲ 利用圖形記事，虛線、直線、點點、標點符號，
　也都是裝飾的好幫手。

▲ 無聊的空白日子不知該寫些什麼？乾脆通通用紙
　膠帶貼起來！

▶ 把旅行中蒐集的印章剪下貼在空白
　處，最簡單也最真實的紀錄。

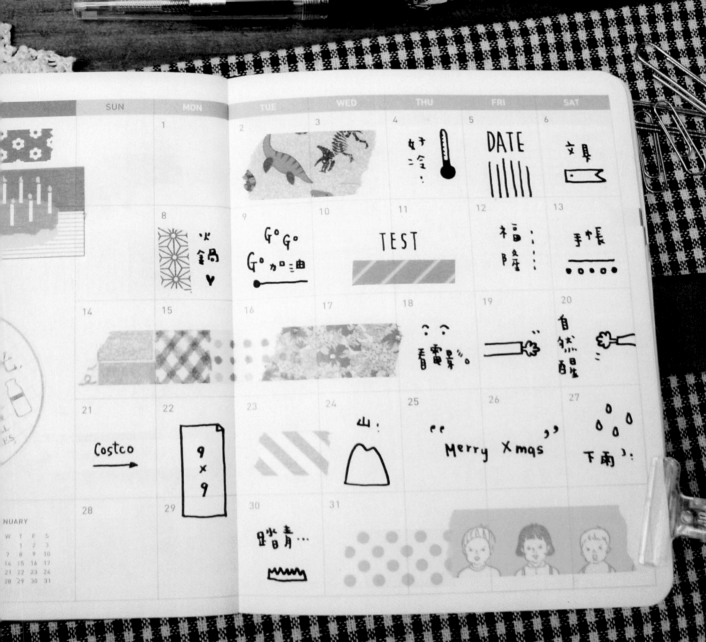

CHECK LIST

# HELP! ME

因為下一季的
進貨搞得
人仰馬翻，工讀生還是應徵
不到，一個人當兩個人用真是累死。

*Dinner*　下班就是用
盡全身力氣
爬到火鍋店報到，
如果不喝黑白熱湯療傷，怎麼面對
明天的太陽呀呀呀阿。(大叫)

CHECK LIST

*Day*

HOLIDAY PL

昨天苦惱的事今天...
吃午飯前就把整理...
後還好軒以暇的...

DATE。 明天...
遊樂...

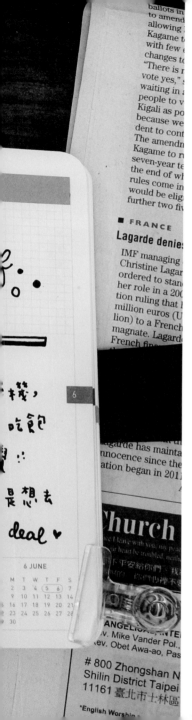

找一天把紙膠帶與貼紙排除在外，單純使用手繪的方式來寫手帳吧！

▶ 利用英文字加上圖形來記錄生活的小細節，只要寫上不同的字體就能達到裝飾的效果。

▶ 在空心的文字中央畫上斜線或是點點，簡單的技巧就可以做出可愛的英文字。

▶ 空白處畫上簡單的幾何圖形來填補空間，不一定要畫出很漂亮的圖案，只要隨性的裝飾就行了！

◀ 去逛傢俱店的話，直接把店名抄在手帳裡，少了
花俏的裝飾品，就用文字做直接了當的紀錄。

▼ 看牙醫時的小插圖，試著畫一些自己擅長
的圖案，用筆劃記下生活周遭的小事！

制作文字小卡

很多文具店都有賣空白的名片小卡，只要搭配上前面教學的英文字體，就可以變成簡便的小卡片。

市面上販賣的卡片大多帶給人太過正式的感覺，有時候太大張也不知道該寫些什麼才好，這種時候可以利用這樣的小卡來製作，不僅不會帶給人太大的壓力，名片大小的尺寸也很方便攜帶與保存。

◀ 書寫體寫的 Relax 彷彿真的可以讓人放鬆下來，為了鼓勵一
　起拼命工作的夥伴，快寫一張送給他！

◀ 提醒自己不要板著臭臉上班，Be Nice！

◀ 牛皮紙製的小卡使用「牛奶筆」來寫上單字，輕柔的色彩，
　壓力好像煙消雲散了！

▲ 胖胖的粗體字很適合拿來寫一些強調的標題，就從倒數
　假期來臨的時刻開始吧！

▲ 把喜歡的一句話用「直排」的方式寫好，開頭字母隨
　意地變換大小寫，看起來也別有一番風味。

買到喜歡的便條紙
或信紙，卻苦無派
上用場的時機？或
許可以直接把它們
當作生活的便條紙
使用，時間過了捨
不得丟掉也沒關
係，當作裝飾牆面
的一部分，或者直
接貼在手帳裡面也
可以喔！

**04 | May SUN**

CHECK LIST

雖然很懶惰,
不過只要一開始用
離形紙剪貼就
會一發不可收拾了‼

很喜歡粉紅色+黃色,搭配
起來充滿活力的樣子,紙膠
帶利用離型紙來變換形狀
之後,用途也變得更
多了,可以且跳脫
原本的長條狀,
樂趣加倍多‼

**05 | May MON**

CHECK LIST

△ 找出原本就有
圖案的紙膠帶,
愛心會有不一樣
的感覺‼

△ 利用足排
作成...
看起來...

NOTES

❦ 3 ❦ 紙膠帶

紙膠帶

跟貼紙比起來，紙膠帶就像是個「百搭配件」，順應著不同的寬窄、不同的色系與圖案，既可以稱職地在手帳裡唱獨角戲，又可以跟貼紙們一同組隊上場。

有時候單一張貼紙沒辦法立刻讓版面亮起來，這時，紙膠帶反而能夠幫助你迅速地裝飾手帳，加上紙膠帶可以重複撕貼的特性，使用起來比貼紙還要方便很多呢！

因為有著豐富的圖案，長度又能夠隨自己拼貼的需求做調整，紙膠帶真的是很稱職的裝飾素材。

# [ 在紙膠帶上寫字 ]

使用油性筆就能在多數的紙膠帶上寫字，對於營造獨特的標題很好用。

在紙膠帶上寫字
塗鴉吧！

真的好喜歡在紙膠帶上面寫字，就像是在課本上用螢光筆畫重點一樣，在不同顏色的紙膠帶上面寫字，也會產生不同的感覺，很適合在手帳裡面做為標題使用。

素色紙膠帶

害怕單一紙膠帶的拼貼，重複性太高顯得單調無聊的話，也可以直接
在紙膠帶上畫上小小的塗鴉。

▶ 雖然都是同一款紙膠帶，畫上圖
案之後就會變得不一樣了！

◀ 即使是簡單的圖案也大膽的畫上去吧！賦予紙膠帶一些自己的色彩。

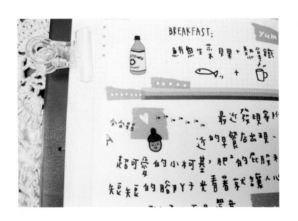

◀ 牛奶筆很適合放在素色紙膠帶上使用，因為白色的柔和感，很容易與旁邊的色彩融合在一起，寫字或畫畫，都很百搭。

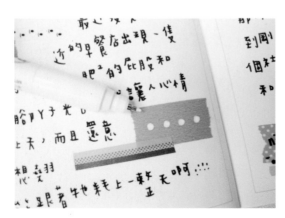

◀ 隨意地點上白色點點，就可以幫紙膠帶換個花樣！

# 紙膠帶＋塗鴉

運用紙膠帶撕貼來裝飾手帳，再隨意的使
用筆畫點綴紙膠帶，創造獨特的畫面。

▶ 在紙膠帶上面隨意點上許多小
　點點，再貼上透明的貼紙，營
　造出草地的感覺。

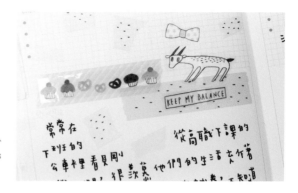

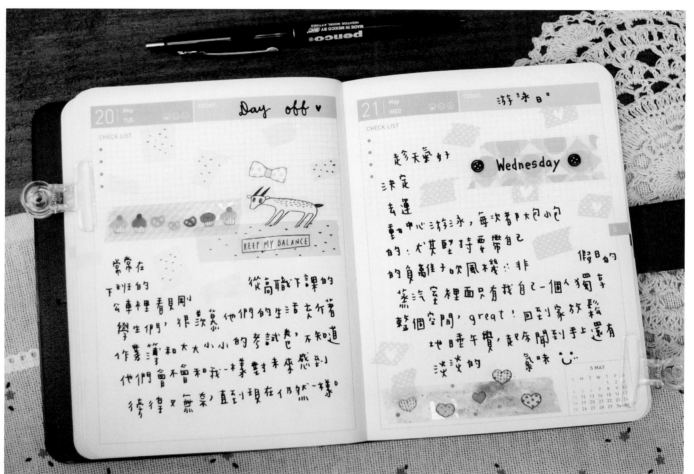

▲ 手繪感的貼紙可以跟自己的塗鴉互相搭配，KEEP MY BALANCE 的透明貼紙，也因為這樣融入了背景。

▲ 在紙膠帶上用黑筆寫字做為標題使用，再使用牛奶筆來彩繪圖案。

▲ 如果要使用牛奶筆在紙膠帶上寫字的話，記得挑選顏色較深的紙膠帶，效果會比較突出。

▲ 色彩較深、較濃的紙膠帶，比較能夠突顯牛奶筆的筆跡。

在紙膠帶簡短的寫上幾個
字做為當日的重點，是我最
常使用油性筆的時機。雖然
都是黑筆字，但是隨著紙膠
帶的色彩與花樣轉變，給人
的感覺也截然不同。

▶ 很多造型貼紙也可以用油性
筆在上頭寫字。甚至可以在
原本的貼紙上面塗鴉，增加
圖案的趣味性！

寬版、細版的
紙膠帶各有用處

紙膠帶的寬度分很多種，有時候會聽到剛入坑的新手詢問「什麼是寬版／細版的紙膠帶？」其實紙膠帶的寬窄跟品牌沒有關係，單純只是因為寬度所以大家才會這樣稱呼。

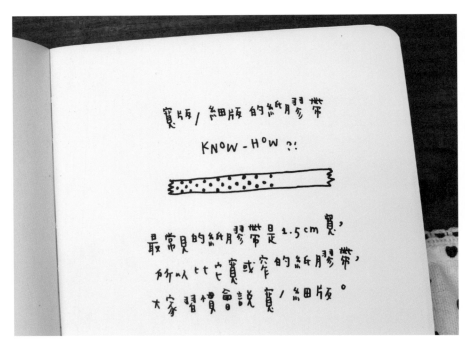

▶ 市售的紙膠帶中，最常看見的都是 1.5cm 的寬度。

▶ 隨著紙膠帶不同的寬度，就可以像拼圖一樣拼貼出豐富的樣貌。

▶ 寬版的紙膠帶因為寬度大多可以覆蓋整排月記事的格子，所以能夠很輕鬆地裝飾空白處。

△ 李三波的一天：

沒想到可以跟前
輩出差是這麼件愉快
的事，原本超緊張，
但是一聽到會計和
工廠的老闆指槓，
氣氛立刻輕鬆不少，
前輩交代的事情也
都筆記完了，如果
每次出來都這樣

O

袋子手把
外套乾洗
布剪
找標籤：

*done:*

▼ 細版紙膠帶 0.5cm 的寬度，就像螢光筆的感覺，用來當文
字的底線也很合適。

▼ 當然你也可以把一般的紙膠帶稍加修剪寬度後，再
用來裝飾手帳。

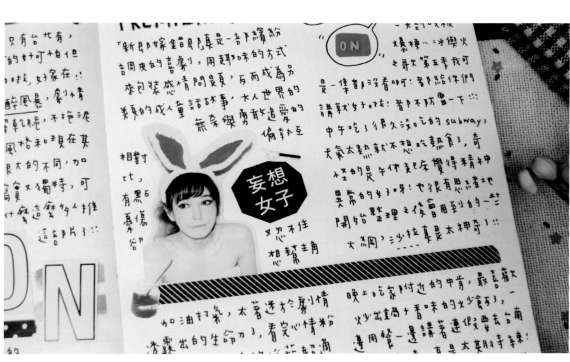

◀ 直接使用細版紙膠帶橫跨頁面做為手帳的分隔線使用,也很ok!

▶ 覺得手帳上方的空白處過於單調,也可以利用細版的紙膠帶來點綴。

◀ 看起來微不足道的紙膠帶，其實裝飾的功用很強大呢！

◀ 短短的兩條紙膠帶就可以當作人物的對話框來使用，有種大聲公的感覺。

▶ 如果有特意要強調的事件或心
　　情，也可以利用紙膠帶來傳達！

◀ 遇上喜歡的紙膠帶圖案，就單純的貼在
　手帳內展示它吧！

整理手邊的
紙膠帶：
混搭前置教學

laugh→hope

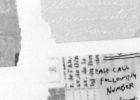

Twinkle,

, so there'd be no fights or doubts or ill
never, never, never spe
er You know (suppos
bus, unlock studio, c

很多人習慣自己做紙膠帶圖鑑來記錄手中紙膠帶的圖案、品牌等資訊。除了做圖鑑，其實我喜歡在自己慣用的本子上，將手邊的紙膠帶進行一些簡單的搭配，就當作是使用紙膠帶的「預習時間」。

▲ 就像是畫家會找時間整理自己手邊的顏料與畫具，或是像整理衣櫥一樣，找個時間，好好地將自己手邊的紙膠帶整理配對一下！

同色系的不同花紋的搭配？花色該如何配置？

利用機會把不常用的紙膠帶拿出來使用，不管是類似色還是圖案的混搭，在自己撕貼的過程當中，常常會發現很多自己之前沒發現的搭配方法。

遇到寫手帳覺得沒有靈感的時候，趕快拿出來翻閱看看，或許就能找到新的 idea ！

因為是在本子裡很自由的搭配，少了手帳的時間壓力，就可以盡量的嘗試自己以往不敢嘗試的混搭，不同花色的紙膠帶，分開來與貼在一起時的感覺常常會截然不同，千萬不要放棄這樣的好機會。

素色的、點點的、基本款的紙膠帶也不要遺漏，從最基本的類似色系開始找尋自己喜歡的搭配方式，一字排開之後看起來很有氣勢，也可以幫助自己提升搭配功力。

素色紙膠帶的前端稍微反摺，可以看出堆疊之後紙膠帶的顏色會加深。有些顏色和別的紙膠帶堆疊之後顏色也會變得更濃一些，這都是平常看不見的微妙轉變。

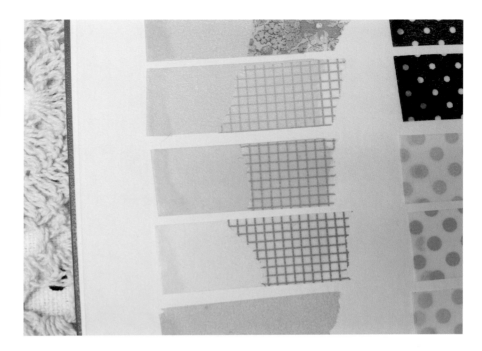

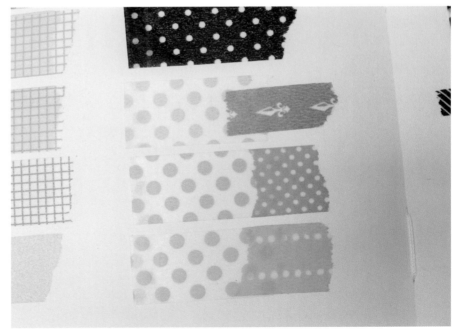

▶ 不同品牌的紙膠帶，也會找到很相似的顏色，貼在紙上就會發現，很多圖案是意想不到的相配。

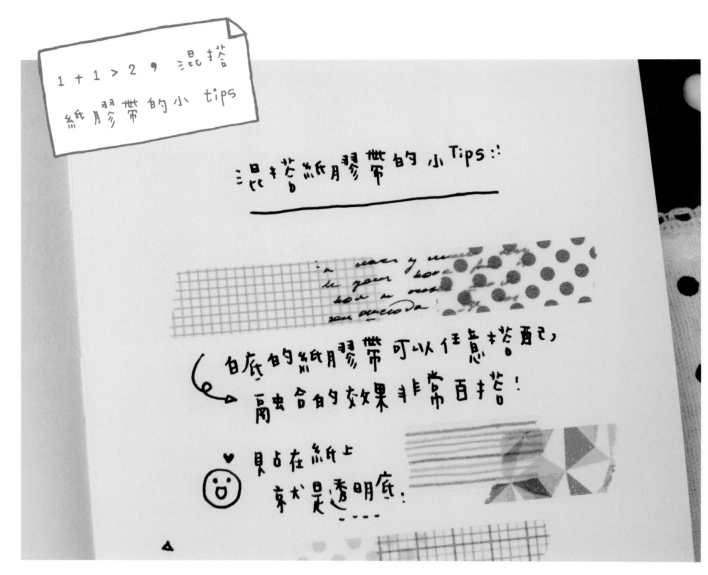

搭配紙膠帶就和穿衣服一樣，也有百搭的基本款與亮眼的單品可以選擇。如果矇著眼睛隨意貼上手帳，就會感覺亂亂的、怎麼看都不對勁。

在開始前，先來認識每種紙膠帶圖案的特性，就可以幫你解決這樣的煩惱喔！

白底的紙膠帶貼在白紙上就會
有透明的效果，所以說可以互
相層疊也不會有突兀的感覺，
圖案融合之後，效果會很自然，
整體感就會出現了！

◀ 因為看起來很透明，所以你也可以在紙
膠帶上面另外疊上不同的素材，讓紙膠
帶成為襯托別人的背景。

除了從白底的紙膠帶下手，你也可以慢慢的找
尋類似色系的搭配。

▶ 從類似色系的紙膠帶開始，
慢慢的增加勇氣，再繼續嘗
試其他大膽的配色吧！

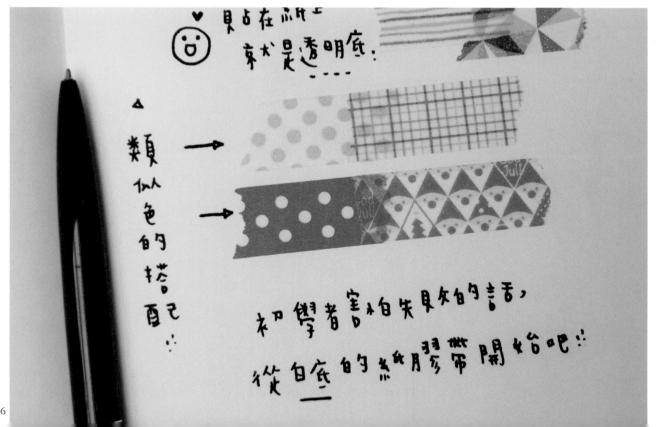

一直拘泥於安全的配色範圍內似乎有點無聊，混搭紙膠帶才能一直玩出新花樣來，常常拿紙膠帶出來把玩，隨意的撕下幾段在紙上搭配，就會擦出意外的火花！

▶ 平時不常用的紙膠帶，一定要找機會讓它們出來透透氣。

▶ 記得紙膠帶上面也
可以貼上貼紙來做
裝飾喔！

不僅僅是花樣而已，其實紙膠帶的長短、直的貼、橫的貼、隨意
的撕貼都會有不一樣的效果。

▶ 運用白底的紙膠帶來跟其餘的紙膠帶做搭配，畫面看起來會比較乾淨。

很喜歡跳色的搭配，害怕紅配綠會髒髒的，可以借助黃色的紙膠帶做中間的搭配色，如此一來，就不用擔心顏色太突兀的問題囉！

運用離佳型紙讓紙膠帶變身吧！

{ 離佳型紙 }

離佳型紙就是貼紙底下那張滑滑的紙，買市售的貼紙簿也能輕鬆取得喔‼

許多的紙膠帶已經有特定的圖案，若是看膩了紙膠帶老是一段、一段的形狀，只要運用離型紙就可以幫助它們改變原有的造型。

如果擔心剪下來的圖案不滿意，也可以先用鉛筆在離型紙的背後打草稿，排列出想要的造型後，再照著草稿線條剪下就可以了。

▶ 預先剪下多一點數量當作貼紙保存，在寫手帳時可以隨時拿出來取用，非常方便。

▶ 可以將普通的紙膠帶剪成自己喜歡的形狀。像是愛心、水滴狀都是很簡單又好搭配的圖案。

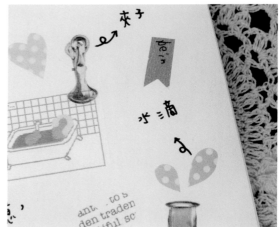

▶ 離型紙是改變紙膠帶造型的好工具。像這樣剪成不同的心型圖案，跳脫一般紙膠帶的形式之後，看起來會變得更活潑一些。

將紙膠帶變成愛心的形狀之後用來裝飾手帳，比平時還要費時一些，卻可以增添很多裝飾上的趣味性。

◀ 除了同款式的紙膠帶以外，也可以搭配不同的紙膠帶剪成愛心的形狀喔！

▲ 用裝飾手帳的熱情來趕走下雨天的煩悶心情吧！

要怎麼記錄下雨的雨滴呢？撕貼藍色系的紙膠帶和畫上小小的水滴都是個好辦法。

放颱風假了當然要手舞足蹈一番，找一個彩色的紙膠帶剪成水滴狀，佈置成繽紛的雨滴吧！

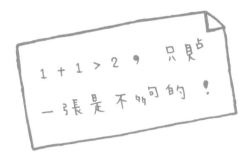

因為擔心畫面會過於凌亂，老是只敢使用同一種紙膠帶的話，很容易會讓畫面變得很單調。如果想好好的使用紙膠帶裝飾的話，要記得兩種紙膠帶的搭配遠比一種紙膠帶來得豐富。

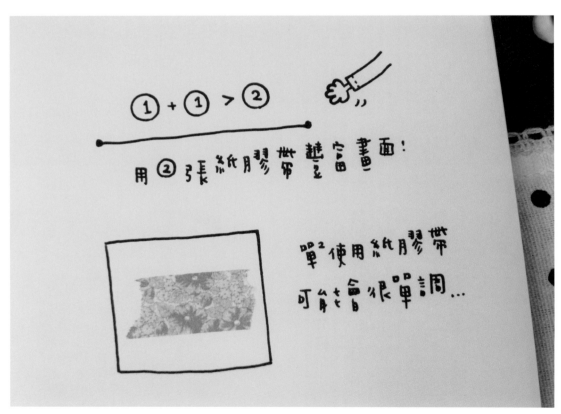

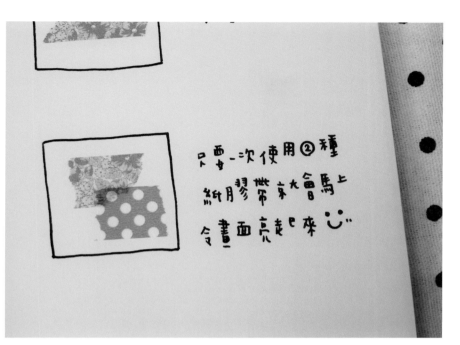

◀ 創造出圖案的層次感之後，畫面就能馬上亮起來。

▶ 倒立的貼紙小人，在腳底交疊兩種紙膠帶，看起來會比單純貼一張還要來得豐富喔！

▶ 運用離型紙剪下的紙膠帶水滴，簡單
的兩種顏色比同一顏色的紙膠帶還要
顯得更有意思。

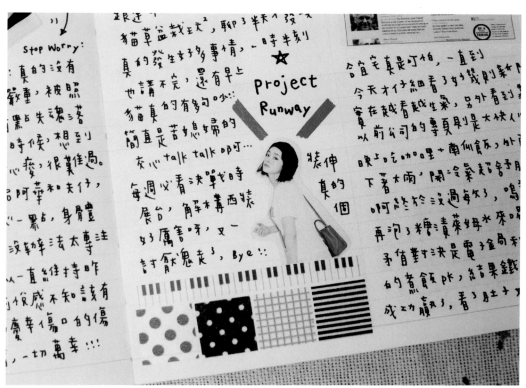

◀ 試著把紙膠帶都剪成正方形的吧，有系統的整齊排列也是裝飾手帳的一種好方法。

▲ 1+1>2！隨意的兩張紙膠帶，比單一張還要生動許多！

▲ 利用素色紙膠帶加以撕貼做成漸層的感覺，也可以在上面寫字強調當日心情。

第 4 章　貼紙

對我來說，貼紙有一種「重點標示」的作用，在一頁空白的手帳裡，單一張貼紙可以立刻吸引住人的目光，達到畫龍點睛的效果，所以一天當中最想記錄的活動，比如說吃到好吃的料理、或逛街買到好看的鞋子，我都會馬上想要用貼紙來標記。

市面上販售的貼紙類型非常多，我很喜歡在日常生活中，收集各種主題式的貼紙，食衣住行都可以派上用場。

各式各樣的圖案與造型，
總是可以找到呼應自己想
表達的主題，日後如果要
尋找貼紙搭配特定的活動
日期，按圖索驥也很便利。

更重要的是，對於不會畫
畫的人來說，貼紙更是一
個看圖說故事的好幫手！

常見的貼紙有透明底與白底兩種，
了解貼紙的特性之後，對裝飾手帳
會更有幫助喔！

## ☆ 透明底的貼紙

因為有著透明感，可以跟背景圖案結合在一起。

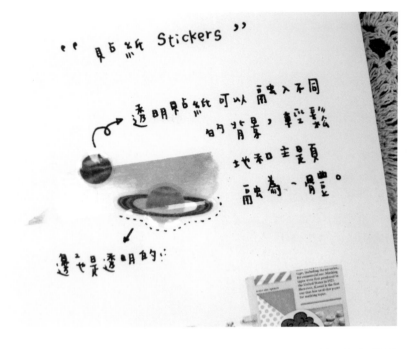

## ☆ 白底的貼紙

因為不透明，不會被背景影響。加上通常都有預留出白色的輪廓，貼在紙膠帶上時，會產生突出的立體感。

## ☆ 運用透明離型紙的特性，預先設定想要黏貼的位置

市售的透明貼紙下方的離型紙，通常都是透明或者半透明的材質。在黏貼前可以先將離型紙擺在想要黏貼的位置上，就能找出最適當的位置囉！

▲ A. 先將透明的離型紙擺在手帳上看看。

▲ B. 確認圖案擺哪裡才好。

▲ C. 如果圖案真的很小也可以拿小夾子輔助貼上喔！

▲ D. 完成！

114

透明貼紙黏貼的時候，可以先留意一下底層，避免底色與貼紙顏色交疊會影響美感。

因為透明貼紙會透出下方的圖案，所以貼的時候一定要先注意看看背景是不是夠乾淨喔！

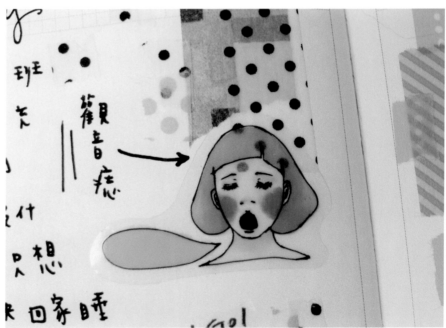

## ☆ 白底的貼紙，可以修剪輪廓使圖案更俐落一些

有時會遇見白底貼紙的輪廓的白色邊界預留的太寬，拼貼時會遮住太多背景的圖案，此時可以用剪刀先把它們重新修剪過一次，依照自己的喜好來調整貼紙的形狀。

▶ 修剪之後的貼紙，雖然依舊保留一些白色邊緣，但圖案看起來會更俐落乾淨。

116

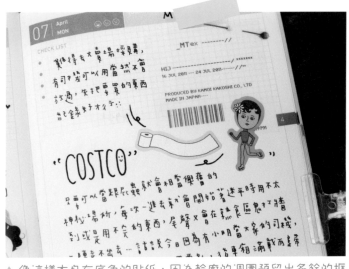

▲ 像這樣本身有底色的貼紙，因為輪廓的週圍預留出多餘的框線，單獨使用也會很搶眼。

白底的貼紙不受底色的影響，圖案邊邊的白色框線也有突顯貼紙本身圖案的效果。

不會畫畫沒關係，用貼紙輔助記事

小小的一張貼紙，對於手拙的人來說是非常方便的裝飾素材。尤其貼紙具有不同的風格，可以迅速地表達出自己想要創造的意境。

不同的貼紙，總是可以在適當的時機派上用場，即使是一模一樣的貼紙，也會因為使用的時間與搭配素材不一樣，帶給人新奇的感受。

▲ 在咖啡廳享受美食的時光，用
貼紙記錄是絕對沒問題的呀！

◀ 用彩色圈圈的貼紙隨意的貼在
手帳裡成為背景的一部份，可
以讓不同的貼紙產生整體感。

就像是書本裡面的趣味插圖，貼紙是裝飾手帳的一大功臣

▲ 洗衣服的那一天，找到適合的貼紙記錄。

▲ 利用貼紙加上對話框，清楚表達自己想說的主題。

▶ 看電影的話，可以找找跟主角造型雷同的人物貼紙來裝飾。

◀ 配上簡易的框框，記錄目前喜
歡的韓劇片名。

3º

Producer.

開始追"製作人的那些事"，
太喜歡牽牛(車太鉉)了，看到他

31 在讓神距蛋
的午後，參合
體驗活動力
上次用鋼筆
在目好文
的讀解
對鋼筆
深刻

skb.

來一個下馬鹹
相影片不如

TREE
樹教我種樹。

在 Youtube 看"我們的島"
長人好多知識，原本以為樹紮根
會一直越樹高而更深，想不到卻

▼ 看起來沒有表達明確主題的貼紙，可以隨意的使用在
手帳內，藉由文字的旁白，成為稱職的插畫。

9.

DIRTY
WATER

混濁的
水從昨天到

長人好多
會隨著
使再
①公

▲ 颱風天的水龍頭流出混濁的自來水，就用提水的女孩來當
作本日手帳的重點。

121

▶ 習慣抄寫名言的人，也可以利用一些貼紙，做出插畫的感覺。

◀ 長條狀的貼紙通常有著連續類似的圖案，很適合拿來填補一大塊空白的空間，配上文字也很有趣。

利用類似款的貼
紙來營造整體感

在文具店時常常會看見一套
一套的貼紙，大膽的使用它
們吧！害怕搭配不同風格的
貼紙容易出錯，就先從類似
款下手！

市售的貼紙買來都是一套
的，對於搭配苦手的人來說，
可以從相同類似款下手，尋找
出自己習慣的搭法

△同款的貼紙，
也非常實用！！

畫面一點也不
會無聊！！

▶ 畫風相同的插畫貼紙，因為
色彩與大小相近，所以一次
使用很多張也沒問題！

▲ 看完侏羅紀世界就回家把很多恐龍貼紙一起貼在手帳裡面，數量龐大的恐龍陣容就跟電影一樣！

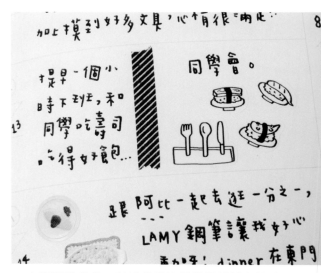

▲ 吃壽司的日子，就把收藏的握壽司貼紙爽快的貼在手帳裡！

◀ 一系列的貼紙，
可以隨意的佈置
在角落。

▲ 單獨看會很單調的人物貼紙，兩個貼在一起就會散發出聚
會聊天的摸樣。

▲ 色彩單調的小貼紙，用一點想像力賦予它們生命力吧！

10

riday.

Votre Journée Spéciale

FEELINGS

.: HOT
POT ..

LUCKY

HAPPY DAY!

## 11

睡到不省人事
今天目標是要去
的「有些材料
翻完實品好

❦5❦ 紙膠帶 + 貼紙

26

27

假第一天：
車到福當，便
快手的
速快手的

連火實起，買，坐馬度又
的連坐，買馬度還
去日隆再用速上

奇吃著
到草嶺隧道，一路
丟丟銅仔超級應
...遂道口完

雨，因為積
情沒做債有
事還真是平
西女幾的
躲上蒙莢
大家霧
BBQ

紙膠帶 + 貼紙。

一張一張單獨的貼紙，在

紙膠帶跟貼紙是手帳裡面的最佳合作夥伴，有時候看膩了一款紙膠帶，只要混搭著貼紙，就可以變換出不同的風采。

同時紙膠帶也能扮演完美的背景，可以拿來當作貼紙與貼紙之間的黏著劑，讓畫面產生出和諧感，更可以呈現出專屬於自己的故事性。

零碎的貼紙不知道該從何下手裝飾手帳，可以先貼一段紙膠帶，再貼上同系列的小貼紙做裝飾，比較不容易出錯，看起來也比較整齊。

變得不止是

像是漂亮的黏著劑，把貼紙連結成一幅獨特的風景，在裝飾手帳時一定要好好的試試看∵

▶ 像這樣隨意的撕下一小段紙膠帶之後，再搭配小貼紙來裝飾也可以！

除了運用相同類型的貼紙之外，在貼紙底下先貼上一段紙膠帶，可以讓貼紙與貼紙之間產生連結，成為像插圖的效果，即便不會畫畫，依然可以創造漂亮的圖案，對手帳記事也有加乘的作用。

**用紙膠帶來決定貼紙的位置**

面對空白的頁面時，心裡常常會顯得猶疑不定，不知道該先貼哪邊、貼了不知道好不好看？這個時候可以先在角落、邊邊的位置貼上紙膠帶，上面再貼上自己喜歡的貼紙，這樣會減少一些排版的壓力。

有了紙膠帶當作「定位點」，思考排版也會變得容易一些，加上現在的紙膠帶都比較不傷紙面，如果真的遇到想後悔重來的時候，只要把紙膠帶輕輕撕起來就好啦！

◀ 紙膠帶是連結貼紙與貼紙之間的橋樑，如果擔心太多的圖案會讓畫面過於零散，用紙膠帶當作背景就可以囉！

A. 先在手帳兩側貼上紙膠帶之後，再貼上貼紙吧！

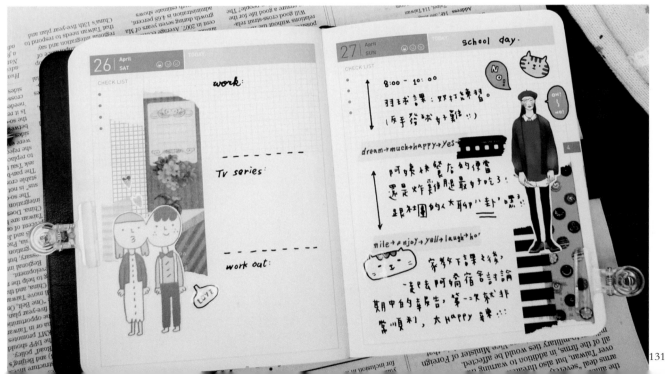

B. 將兩段紙膠帶垂直並排貼好之後，再加入人物貼紙，就會比單獨貼上貼紙還要來得有趣味性。

C. 像這樣站立的人物貼紙，就可以把紙膠帶變成它們的「地板」，看起來就不會有重心不穩的感覺。

▲ 把紙膠帶當作人物貼紙的地板，也可以增加裝飾圖案的趣味性！

▲ 空服員圖案的紙膠帶配上雪梨歌劇院的貼紙，這個角落充滿了旅行的味道。

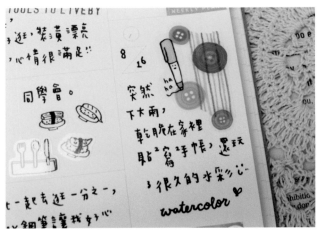

▲ 單單貼上鈕扣的貼紙好像有點乏味，使用彩色綠條的紙膠帶作背景，就可以帶出和諧的整體感。

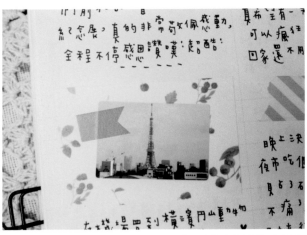

▲ 素色的紙膠帶剪成小旗幟的形狀，再貼在相片貼紙上面，標記旅行中遇見的景點！

即使不會畫，稍加練習也能用貼紙創造美麗的畫面。

運用貼紙拼湊故事性

利用圖案來說故事，是最讓人心情平靜的事，在摸清楚貼紙的特性之後，可以在空白的篇幅中使用貼紙來填補空間，發揮自己的想像力，創造出獨特的意境。

▶ 作了一個關於野餐的夢，利用貼
紙呈現野餐的畫面。

▶ 看完怪獸主題的災難電影，手帳
的角落也必須要跟上進度。

◀ 等不及去墾丁玩，就先將這份期
待出遊的心情貼在手帳裡。

▶ 小小的貼紙，因為有了紙膠帶
的陪襯，變得更有意思了！

搭配著原有的插圖，在手帳的角落發展一段有趣的圖案故事。

▶ 從紙膠帶的牆壁中探頭出來！

撕下一段素色紙膠帶之後在上面寫字，在紙膠帶的周圍貼上貼紙，圍繞式的創造出一個無形的框框，讓自己想要呈現的主題呼之欲出。

◀ 因為有著跟食物有關的元素，不同的貼紙可以在相同場合搭配使用。

◀ 檯燈與迴紋針都是充滿文具風格的小物。小小的貼紙圍繞在紙膠帶的周遭，輕鬆打造出自己想要呈現的感覺。

跳脫紙膠帶與貼紙只能用來佈置小角落的想法,大膽地運用它們就可以讓空白的頁面增色不少,不需要花費心思改變紙膠帶的外型,一樣可以搭配出很多不一樣的花樣。

就如同每一天的生活不可能完全一模一樣,手帳的每一頁也可以擁有多變的風貌,多采多姿的樣子很吸引人吧!

在兩段紙膠帶的交界處,重疊上一段「白底」的紙膠帶,讓色彩互相融合在一起,並在重疊處貼上貼紙,創造出新的花樣。

... 他的 ... 只」他的 ... 不
T-shirt 圖案上也和多數人意見相左，其實
是美，醜就是醜，無法顛倒啊 :::
時發現的 7cm 的乾蠅，整個快崩潰
體放入夾鏈袋，嘛森翻 ::
也任乎 ... 於是就默²坐
... 好長的蟲好可怕 ...
... 夢的 my god ::: ¯\_ no

拼貼素色的紙膠帶之後，再找
顏色相近的人物貼紙來做搭
配，漸層的色調百看不厭。

而且還化化長 ...
茄子先生看了很多想寫的文章卻遲遲沒動
於要搬家了，好奇往自己對小菜的room怎
還真的有點捨不得，總是有點
新的環境啊，元氣 ...
晚上把該開箱的貼 ...
哈這也在外面玩得不 ...
的土裏心情，走早快重新 ...
變，變得更好更迷人，一定 ...

142

在手帳的內側都貼上紙膠帶，再找尋相同色系的貼紙當作插圖，這樣的貼法在翻閱手帳時，會有眼睛一亮的感覺喔！

▲ 將同一段紙膠帶一分為二，中間再填入適當的貼紙，營造圖案框框的效果。

▲ 寬版的紙膠帶上貼上許多小貼紙，讓它們成為豐富的插圖。

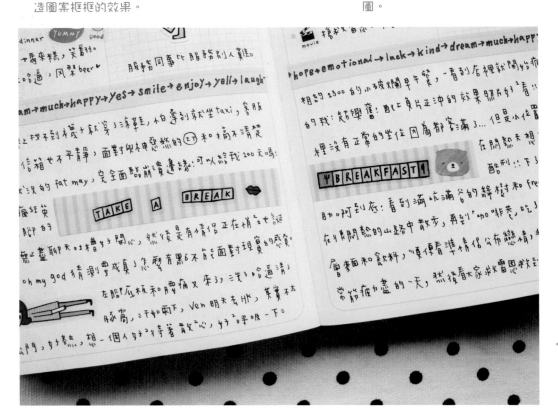

◀ 在淺色的紙膠帶上，另外貼上貼紙，就可以打造出不一樣的圖案。

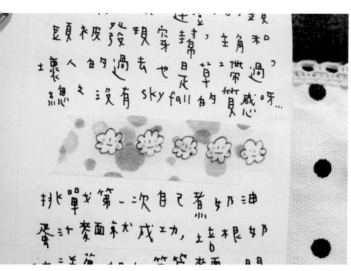

透明底的貼紙，可以試著與紙膠帶重疊黏貼，圖案相融合之後，看起來就跟單獨使用紙膠帶的感覺完全不一樣喔！

混搭紙膠帶之後，再使用字母的貼紙來拼貼，做出不一樣的紙膠帶分隔線。

# 2 WALK

**My Sweet Vacation♥**

0218: 除夕
0219: 初一
0220: 初二
———
0223 → 27
新馬五日遊。

- - - - -

日新戲秀:
0203 - 20:00
朱比特山崛起

| MONDAY | Tuesday | Wednesday | Thursday | friday |
|---|---|---|---|---|
| **2** 自製<br>泡菜!! | **03** movie:<br>朱比特山崛起。 | **④** 大驚<br>獎 | **5** 味噌蔬菜麵 | **6** |
| **9** 煩足本:: | **IO** 烏龍<br>麵。 | **11** 越<br>獄 | **12** 找碴日:: | **13** 尾牙 |
| **16** 年前<br>採購 | **17** 凱菲屋... | **18** 除夕:: | **19** 比手<br>畫腳 go！go！ | **20** |
| **23** 吉隆坡 | **24** Pretzel... | **25** 樂高<br>樂園 ©LEGO | **26** Singapore. | **27** HOM |

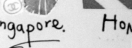

less
IS
MORE.

第6章　排版の科學

月記事的繽紛
裝飾法

對我來説，月記事已經不是記事的功能了，我更喜歡用它來做為一天的「頭條新聞」，節錄當天的一個重點，也許是一道簡單的料理、一場電影，或是留下當時最強烈的心情感受，配上簡單的紙膠帶或貼紙裝飾，就會變成獨特的時間軸，認真記錄一個月後，整體看起來的感受會相當有成就感，也會有很強烈的個人風格。

大多數手帳裡面會出現的月記事，因為格式的侷限，往往會帶給人一種很難駕馭的感覺，除了單純記錄一些活動或重點之外，沒辦法做更有效的活用。

▶ 先把每個月記事當作單純的小格子，然後把它們切一半來看看。

▼ 切一半之後來觀察看看，每一格的月記事裡面，都是一半圖案、一半文字。

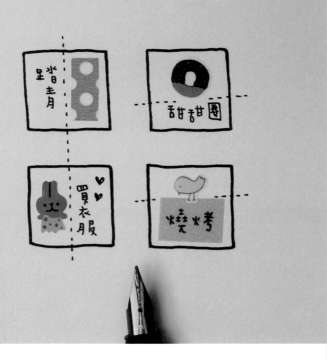

◀ 垂直與水平的切法，是我最常使用在月記事的排版，大原則是一半使用紙膠帶或貼紙裝飾、另外一半就填上文字。

▼ 除了垂直、水平的切法，也可以使用斜切一半的方式來佈置月記事的格子。

接下來，記得井字遊戲裡圈圈叉叉的規則，如果當日使用貼紙的話，隔天就使用紙膠帶，按照貼紙、紙膠帶這樣交叉的方式來佈置。

這樣的做法可以讓每一格格子都保有足夠的空隙，不至於太過擁擠，視覺上看起來就不會過於凌亂，反而會有一種亂中有序的感覺。等到摸清楚這樣留白的感覺之後，就可以跳脫這樣的規則，按照自己的喜好來佈置了！

◀ 紙膠帶那一格也可以搭配貼紙，
但貼紙那一格盡量不要再使用紙
膠帶，免得空間太過擁擠囉！

# 2

# WALK

## My Sweet Vacation♥

0218：除夕
0219：初一
0220：初二

0223 → 27
新馬五日遊。

日新戲秀：
0203 - 20:00
朱比特山崛起

| MONDAY | Tuesday | Wednesday | Thursday. | friday |
|---|---|---|---|---|
| **2** <br>自製衣<br>泡菜 | **03** <br>movie:<br>朱比特山崛起。 | **④** <br>大會操 | **5** <br>味噌蔬菜麵 | **6**  |
| **9** <br>煩足不… | **10** <br>烏龍麵 | **11** <br>越獄。 | **12** 代百樂日… | **13** <br>尾牙。 |
| **16** <br>年前採購… | **17** <br>凱菲屋… | **18** <br>除夕 | **19** <br>比手畫腳 | **20** go! go! |
| **23** <br>吉隆坡 | **24** <br>Pretzel… | **25** <br>樂高樂園 ©LEGO | **26** <br>Singapore. | **27** <br>Home |

▲ 空白處可以自由的使用各式各樣的素材來美化內頁。

▲ 雜誌上剪下來的英文字與兩條腿兒，發揮自己的想像力來做趣味的拼貼！

最喜歡使用沒有插圖裝飾的手帳了，更能盡情地依照自己的喜好來裝飾。

仔細觀察一下，月記事其實就是很多個『井』字結合在一起的。今天使用紙膠帶、隔天就用貼紙來記事。要用紙膠帶跟貼紙搭配又怕亂亂的話，可以先照這個隱性的規則來排列，等熟練了就可以更自由的排版了。

一格紙膠帶、另一個就使用貼紙，這樣交錯著排列，就會讓月記事多出有秩序留白的空間，色彩豐富卻不會太過擁擠，看起來就會有協調感。

▲ 自己在空白處大膽地寫上英文的月份做標記吧！自填式的手帳就是要更隨心所欲地使用！

▲ 慢慢的尋找紙膠帶不同的用法，當作底線使用、或者是直接在上面寫字，在每一個小格子裡變換不同的用法。

即使是使用同樣的規則來佈置，因為使用的素材不一樣，就會變化出不一樣的風貌，完成之後非常有成就感喔！

◀ 顏色相近的紙膠帶與貼紙可以在同樣的場合相互搭配，進而產生一致性。

◀ 配色苦手的人，也可以從紙膠帶中原有的顏色來挑選其他的搭配素材，這樣就不必擔心顏色太多而眼花撩亂的問題了。

◀ 只要記得留出留白的空間，不用按照一天紙膠帶、一天貼紙的規則來佈置，也沒關係喔！

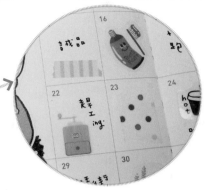

◀ 每天選擇一個重點記錄就好，讓小小的貼紙與紙膠帶們去填滿每一日的小格子。

就像是小時候玩圈圈叉叉的遊戲一樣，一格用紙膠帶裝飾，另外一格就要選擇貼紙來使用，紙膠帶與貼紙輪流交替來填滿月記事，利用這個原則，格子就會保留適度的空隙，保有豐富的變化，卻還是很整齊！

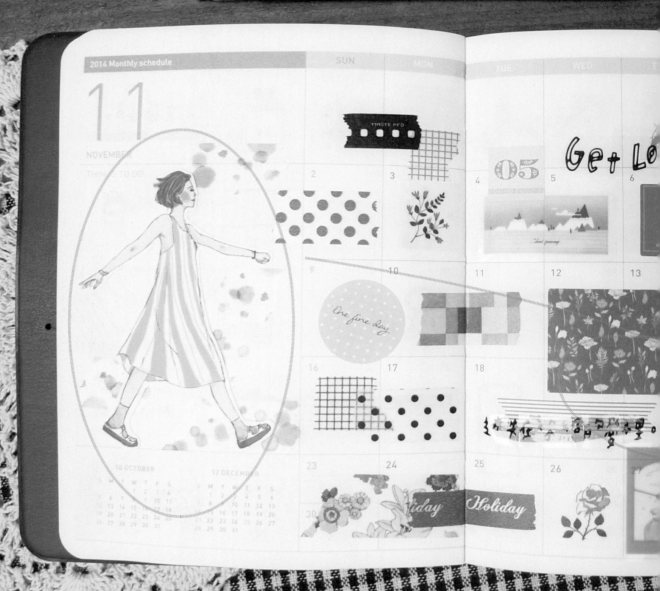

買東西留下的小貼紙、朋友分裝的紙膠帶……，不用文字的註明，也能知道自己在這個時候做了哪些事。

不要太介意格線，跨出既有的框框吧！跳脫規則所做的拼貼才會更有意思！

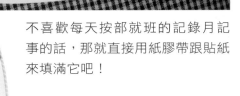

不喜歡每天按部就班的記錄月記事的話，那就直接用紙膠帶跟貼紙來填滿它吧！

◀ 在創意市集裡買到的大張貼紙，貼在當月的空白處，就是最直接的記錄。

運用紙膠帶長條的特性，可以創造很多不一樣的分隔線，是裝飾手帳很簡單的技巧。

畫面一分為二之後，不僅可以幫助自己條列式的記錄事件，也可以讓畫面整齊一些。

05 September FRI
CHECK LIST
TODAY

dinner time : hot pot.
orange juice ♥♥
movie night.
walk home. lol :

久違的週五
約會夜，明天吃得很
飽，走路回家之後還
是想吃甜食哈：

UNIVERSE
SMALL FOREST.

"Cafe Hill" 為了找尋
好看的裝潢意外在網路上看見的賣家，
其實我一累6也搞不懂手沖咖啡，只要
加入牛奶和米唐都好好喝，但是卻
發覺懂咖啡的人都好有氣質呀！
在沖咖啡的時候，神情專注的模
樣也是相當迷人的，一種達人感。

06 September SAT
CHECK LIST
TODAY looks fine.

Die with Memories,
Not Dreams.

: POSSIBILITY 可能性，機會，潛力。
看了一篇關於安藤忠雄的專訪，實在
很佩服這樣有著堅定意志的人，
對我來說，米長維持三分鐘熱度
真的已經是多麼實在的了，也許正是這
廢難以堅持，才造就了我們
口中裡的天才吧…。

▶ 對初學者來說，分隔線更是
裝飾版面最簡單的技巧，一
點也不怕失敗。

# 21　THURSDAY!!

午休時間去囤積局報
稅，看到這麼多人心
裡壓力超大：幸好有
熱心的義妹幫忙♡ 3Q

回家後看星際異工隊，很喜歡
味呀可：很喜歡怪誕的外星人，
個性鮮明討喜卻不會很突兀，
桔大真是太可愛了還有浣
熊也是，大家片中的
跳舞真想
買回家呀可

I AM Groot!

因為下兩天氣變得涼涼冷的，
超商會吃小火鍋，吃得飽飽呼~
逛項好買菜理扣扣的，
遇到也有養天竺鼠的路人，
一邊玩～一邊聊天奇妙的緣在
在二首寶好冷，要回去還至道再
買，真是一個可愛的祖蘭惠

# 22

一大早 Line 的群組天室就超
熱鬧的呢：這裡有八卦那裡有
事情要討論，真的有夠內腦子好
像快當機的感覺，七一七七講一講
又午休了：突然吸收太多資訊好累
結果很有病的出去買飯沒帶傘，是
偵探大雨呼小姐...硬著頭皮衝下
去最近的 seven 買1個丼飯，回來
公司看　　　　摩登家庭，②集：笑翻
天，　　　　實在很愛這一大家子，
每次　　　　看完要睡覺時，
枕著午　　　　安枕都很貪很
好的牙　　　　状態是：覺得被愛

HELP!

晚上跟青菜阿公買了②條迷
你地瓜(什，有的菜淋濕了，只
好加買一果顏色綠的本瓜...回家煮
蕃茄飯和味噌貝佳肴，還有馬鈴薯
賣沙拉跟冰淇凍賣，有期待賣的
味道因為每次調味都小看心情胡亂
加亂調的，反正大是好好天嘛休！
睡前電影是麻辛樂好王，結菜♡

# 23　MAD MAX

what a LOVELY DAY !!!

大愛湯姆哈迪和沙莉賽隆在遑
片裡的表現，呵呵怎麼忘了
男孩尼可拉斯霍霍特，片中那輛塞
始的每個
做好的行為
的情景著太
被感染
體驗
感到

KEEP!

角色為了求
還有強
的蔷
就連現在想起
沸騰的亢奮，
論貪什情對每一
社會所建構的

視野，就可以說個不停
☆
晚上去夜市逛，其實雨蠻
撐著傘鞋子濕透一半，
在討裝人工肛門的事，
順利在 CACO 買到便宜的
男丁，心裡覺得好充實
回到家都半夜了：手療
療了益大，綠化活動力

找尋類似色系的紙膠帶相互重疊混搭，就可以在手帳內貼出裝飾效果很棒的分隔線。

▲ 利用小小的素材貼在分隔線上，做出熱鬧的裝飾效果。

▲ 因為紙膠帶的圖案中有黑色，所以我選擇了很多黑色的小素材來裝飾。

一點都不想上班！我的這一天顯示不前年正在沉迷的遊戲就是 "Harbor Master"，買好好懷念，殘念的是安卓沒有當初 phone 裡下載的版本，玩起來十分掃興，懷念那叫鳥笛聲。之後跑去採買貓糧，熱得很不舒服，皮膚又過敏，只好提早快回家休息放空。

△安平：
漁光島探險
dinner：燒燒。

好喜歡漁光島的環境，在塞車的客運上待了五個小時之後，這裡真是散心最棒的去處了心

H：和妹妹約在麥當勞集合，大熱天的一家大小全家出動真是大工程呵！和橙 Hang out 很久，自從他會說話之後，就體驗感受到童言童語的珍貴，我當這阿姨也相當幸福愉快，下午全家跑去買××××再去家樂福聊天，吹

> Only you can live
> your life.

動物星球頻道的寵物單元出現了之前看到的哲學淺語貓，不停在黑色畫面中思考存在主義的貓咪了上淺語讓得荒謬又可愛的不得了，得燙感言也是一樣用法文說嗎！再看一次卖召人：鋼鐵英雄，弗利卡維確實適合這角色，還有艾美亞當斯好聲音真好聽喔！！！

Dinner 和大學同學一起去德安百貨樓上吃燒燒，老朋友一起聊了八卦玩了小孩實在是舒服又紓壓，吃飽喝足之後，有種捨不得結束又自知必須回到現實的感覺，回到佳處一邊玩狗一邊看連續劇放空，好像以前大學的宿舍生活呀！假期正開始，要好休息養精蓄銳了

冷氣，晚第請客的中家熱鬧一起好棒，然後又跑去花造大唱逛痛

一樣是同色系的搭配，利用綠色→藍色的紙膠帶，帶出清新的感覺。

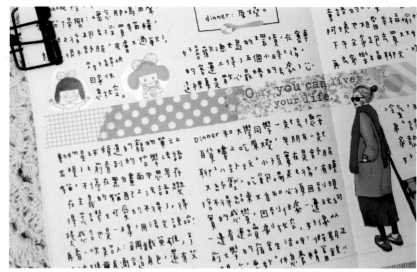

▲ 用手撕貼之後再將紙膠帶重新連接成一段，就可以變出許多不一樣的花樣囉！

▲ 利用透明貼紙會與背景相融合的特性，在紙膠帶上佈置美麗的風景吧！

㉕ 手軟!!! 昨天玩墨球了,可能太high了吧,今天手施力有點障礙,為什麼這麼弱啊! Help! 最近在看靠北設計師,啊啊真實在太好笑了啦,有時候看一看會忍不住笑出來,真實很�。中午聽到一些讓我約而不約的事,莫名火大,可能是禮拜一,對什麼事都非常沒耐心,弄星又怎樣,不氣死。

喜,可愛禁止

在 caco 買的 T-shirt 結果裝錯了尺寸,幸好有換回來啦! 晚上煮薑燒雞肉飯配上魯蛋,吃飽後想挑戰洗溫泉蛋可是煮壞了! Damn it,電磁爐真的開,需要邊攪才搞得起來! 剪指甲,不小心流血而且還有點多! my god! 不過還是順利解決,學個經驗食。

㉖ 區叭叭 從 4:00 → 5:30 亂跑了,開了一下劉邦什麼心又給牠打開,真是精神不濟的一個早晨叭!!! 「TED:蘑菇拯救世界的6種方法」,幾年前看過又拿出來複習的影片,不是什麼米靑影的演說,但講者舉出強而有力的研究成果,從環境污染、白蟻到治病藥用,蘑菇真是令人大開眼界,平鋪直述的樸實風格也很沒有距離感, Like ♥

吃了越南牛肉河粉當晚餐,飯後散步到全聯買菜,結果阿成加買了氣和司蛋糕和麵包當早餐,林2總又拿了一堆東西去拿回去告址及,別2代的起那床起去,再種了回家洗深看 project runway,順便切木衣明天帶去公司吃,越切越委,已經想到明天晚餐想煮什麼了! 但是一想到要切紅蘿蔔就手軟,墨球後遺症啦。gg! 弱爆了!!!

㉗ 起床發現貓主站在電視上以一種監視的簡的態度看著我有事嗎…?! 你不用去上班內可今天的矛盾大對抗決好「看哟! 真實的畫家 v.s. 相片專家,最後畫家贏了,真的好厲害啊! 女近看瞧是怎麼個逼真法,再討食犬吃

香菇主長可以有好吃香菇的的決鬥,結果武輸了…天呀!還是

I wonder twink[le]

今天的晚餐是紅蘿蔔香菇食勿,討厭死了蘿蔔的生味,切的細小的,煮完麦古加上鯖魚非常好吃! 配它吃不膩,而且這次蛋黃很配食很美味,總之很看到認識的人得了麻疹接受,心情被影響,也不平,一個不懂得疼惜老闆真是殘忍,以後會

在黑白配色的紙膠帶中，混入一段彩色的紙膠帶來做分隔線的裝飾。

◀ 試著在生活中搜尋可愛的素材，來搭配喜歡的紙膠帶吧！

撕成一段一段的紙膠帶，在重疊處會透出手撕的質感，如果是不同顏色的紙膠帶，也會產生出不一樣的變化。

貼完分隔線之後，可以在紙膠帶周圍佈置其他的素材，增加裝飾的豐富性。

除了貼在中央的位置，分隔線
也能貼在上方的空白處。先貼
完紙膠帶之後，再來決定貼紙
佈置的位置。

▶ 不用將每種素材都
分開黏貼，重疊一
點點也沒關係。

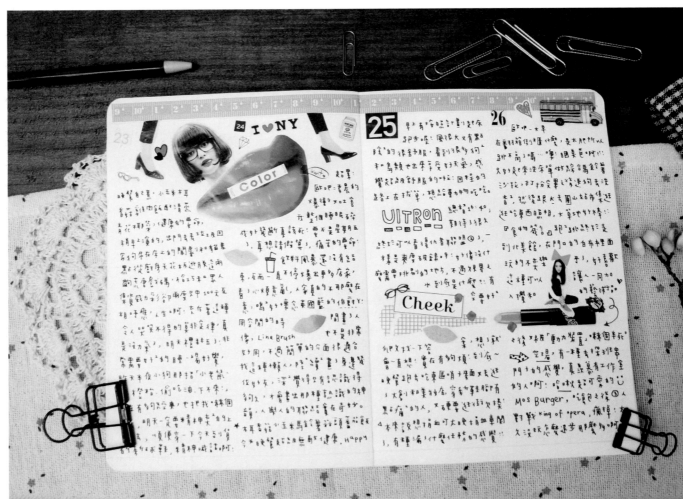

想要更加靈活運用分隔線的話，或許可以嘗試著利用貼紙與紙膠帶來互相搭配製作。

分隔線不一定要是線狀的，只要能做出區隔的話，不管是紙膠帶還是貼紙都可以拿來使用看看。

▶ 貼紙與文字，也能當作區隔手帳內容的分隔線使用。

對稱與不對稱
的排版技巧

每天寫手帳的心情都是不一樣的，有時想努力的美化手帳的內頁，有時卻想隨性寫寫就好。

尤其在度過規律的一天時，常常覺得一整天下來平淡無奇，好像沒有什麼新鮮事可以記錄，這時就可以花點心思裝飾手帳。甚至可以訂下自己裝飾的目標，進一步達成之後，就會很有成就感。

習慣收集各式素材來裝飾手帳，有時難免會沒有頭緒，為自己訂下一些裝飾的主題，會比無頭蒼蠅似的胡亂拼貼還要心安，試著為自己喜歡的素材訂出一個方向吧。

## ☆ 不對稱、顏色相近的搭配

想到「不對稱」，大概會覺得畫面很凌亂吧！？
只要找到裝飾的共通點，運用不對稱的裝飾
技巧，畫面反而會顯得協調又不呆板喔！

缺乏靈感的時候，不妨先將手中的素材整理乾淨，
找出一個想運用的色系或者是題材，幫助自己理清
頭緒之後，靈感就會浮現出來。

先決定拼貼的位置在左上角與右下角，貼上紙膠帶之後，再找色系接近的貼紙做搭配。

▶ 盡量找尋色系相近的素材，可以減輕很多搭配時的負擔！

LIAR!! 討厭死補習班輪番的推銷的廣告，陰森的積頗狂call 實在讓人反感，阿，總之先去吃紅豬早餐早復一下心情，然後大聯到天犬莫富不均和22K只要一聊開氣情就高昂呼!!一直下雨的案子，趕快與小狗去草地奔跑，舒展流一身汗，慢走去建國花市，還買一杯涼綠茶坐在廣場，呼吸著fresh air好愜意，買了麥汁和彩好氣氛菊物貓草+9層塔上挑戰，明晚哦啊爽，又去和彩好氣氛菊物回到家作糖漬姆，真期待阿，雨後天氣超舒適的深呼吸!!

I LIKE U :)

10 連續四天後未知電多醒起不爽，但這可不能阻擋姐前往頂血的決心。阿加上今天是母親節和農曆生日，怎麼可以不能作些有意義的事情啊!先吃飽勝亭夫食飽能量復到消加車外頭待命，波妞因血氣使還待了好一陣才才捐完，天氣好熱，第無聊的開始跑去某買喝的，然後回家睡了一下，再相約去河提是散步2個小時，順便摘點野野草，真是一個舒適的傍晚，而且還大豐收一本日菜單是薯菇菇炒飯，加上綠花椰菜根馬鈴薯，吃飽喝足復再來欣賞笨狗決泡咚得的蠢樣，預煮的綠豆漿仍冰冰完成，睡前電影再看一次我仍看得很開盟，明天是莫月一會然要補足力氣，不可以讓媽丟臉，要當個努力的乖女兒吧!

11 mon. 媽祖生日，路上看到有人在拜，聞到香的味道好分心啊，好想吃點辣的韓式料理，下班相約金鍋子ㄉˇ辣ㄉ豆腐鍋和煎餃，還有必點小菜馬鈴薯，吃得好開心!! 回家路上買苜蓿、關廟鳳梨(超翹的)、和咖啡捲，大包小包的走回家，打電話回家跟好ㄌ指標，用水果的價錢庫和交流一下，當然還有祝念↓愛花錢不存錢頭!! 回家發現去前ㄥ裡在土裡ㄉ芒果長出來ㄌ阿，明早上還沒力靜的說，驚喜之餘也開始偷ㄉ幻想，希望它可以長成壯ㄉ小樹ㄗ，不知道前它不能移去河提是ㄋ類ㄉ地方，讓它變成可以真正結果的大樹，種植真是好玩玩，完全無法自抜ㄗ…

12 今天對阿空討論的話題大都圍繞在好友很靠杯的這件事上，沒意通案意見最多，問類靠杯高失敗從沒有回應，全天下只有最忙，到...

LOVE YOU!

人生開得要命，發現每個人都有各種忽略或需要被包容的時候，即使我們長大ㄌ，重要的還是有好多學問，要注意阿，每週二晚間鎖定TLC有決戰時裝伸展台，和原本看的看的很痛快，重點是要事猜出ㄔ賽的ㄛ誰最高分給個獎賞，看到埂點然後我們ㄔ會的笨菜就然終於被淘汰ㄌ，後本ㄣ擇準大要一起煮咖哩飯，還要快ㄘ淳拌木耳，好莫待喔，快點來吧!

## ☆ 不對稱、相同題材的搭配

運用雜誌上剪下來的模特兒與花朵所做的裝飾，視覺上造成巨人與小矮人的樣子很有趣。

利用這樣大小尺寸的對比感，可以依樣畫葫蘆做出許多不同的延伸搭配。

一樣是將人物放在花上面的貼法，卻因為人物的大小產生了趣味的對比，這麼一來不用在其他地方做多餘的裝飾，維持乾淨的版面，就能突顯拼貼的主題。

| 13 June FRI | TODAY. | EXHAUSTED !!! |

CHECK LIST
- 
- 
- 
- 

*Work*
*day.*

因為連加三天班
莫名的厭世感在
滿心頭，累到
連吃飯都沒什
麼力氣，只想
趕快回家睡
它個三天三夜，
明天還要去開會，
好想逃獄啊 !!!

觀音痣 →

GO! GO!

| 14 June SAT |

CHECK LIST
- 
- 
- 

預定開月會
的時間延
時，剛
公司附
跑去
禮
就是
包

## ☆ 運用紙膠帶的不對稱貼法

看似不對稱的樣子，其實裡面藏了小巧思，注意右上角與左下角、以及頁面中間的貼法，看起來有點類似吧！

一邊往上、另一邊就往下，左右互相交換，擔心全空白的頁面不知從何下手的話，記住這個小點子，下次玩拼貼時，就不怕找不到方向了。

▶ 手撕紙膠帶之後再重疊貼上，就可以做出簡單的背景。

▶ 同一段紙膠帶一分為二作為背景，另外貼上三個小鈕扣貼紙，營造角色活潑的感覺。

看見新開的連鎖店立刻
約同事午休去逛逛，明明
都是一樣的店面，出現
在公司附近就是有
開心的感覺嗎？

下班後決定去河堤慢
跑4km，天氣很熱，跑
起來不是很舒服，不過
一跑完就身心舒暢，和
阿美和同事的妹妹約
好了明天要一起吃火鍋！

把辦公桌重
意外發現不□
紅筆和削

跟 pipi 一起拼
門町的客子笑
2個人輪會
超划算，好

難得可以吃到
酸菜白肉金局！
東北運來的白
超多碗湯，

## ☆ 簡單的對稱貼法

別忘了紙膠帶 1+1>2 的小技巧，將貼紙貼在遮住兩段紙膠帶的「交界處」，有助於提升畫面的整體感。

左右兩側對稱的貼法，會讓畫面的重心看起比較穩定。如果不喜歡手帳貼完感覺亂亂的，那就試試看對稱的裝飾法吧！

▲ 白底的貼紙先修剪過輪廓後再使用，有助於幫助貼紙跟紙膠帶融合在一起。

▲ 尋找貼紙中既有的顏色來搭配背景的紙膠帶，避免配色上出了問題會影響美觀。

CHECK LIST

和朋友們一大伙
人下班後到河
岸留言聽歌：距離
上次看演出已經是
1年多的事啦：感
覺卻一點也沒變：好喜歡

不插電純粹的吉他伴奏聲,聽
來真是舒服又令人陶醉,大家意
猶未盡的,最後吃了永和豆漿
才依2不捨的回家,真不想上班!
(一起在line裡說晚安。)

CHECK LIST

超累的:
真的已經很是玩
的阿妹仔年紀
聽的歌曲1B嬌
盡,上班空檔
上找youtube影
返呵...活在私
間過得快多
想每天玩音機

## ☆ 佈置對角線的對稱貼法

左上角的人物與右下角的人物可以互相呼應的拼貼，在視覺上左右都取得了平衡，看起來就會有和諧的感覺。

不僅僅是人物的貼紙能夠這樣佈置，只要在對角線上都可以如法炮製。

▲ 既然是坐姿的話，就讓她坐在紙膠帶上吧！

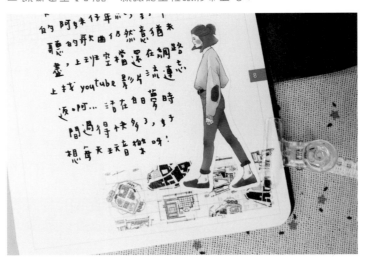

▲ 將紙膠帶變成人物行走時的地面，看起來會更有立體感喔！

# Frank

I love you All ♪♫

怪異的莫名奇妙，卻有股
神奇的氛圍讓人忍不住想繼續
看下去的電影，所有的歌曲都和法
蘭克一樣，迷幻又可愛，真是難以想
像，面具下面的人是麥克法斯賓達。

# CAT

為了三隻美貓花了好多
的又買了一堆貓
真是有點不好意
重，網拍好

## ☆ 相同方向的對稱貼法

一樣是在上半部寫上英文字，下半部使用文字敘述，底線選擇紙膠帶來做拼貼。為了維持平衡感，在顏色的選擇上就需要盡量簡單一些。

只要在細節稍做變化，還是可以實現豐富的想法，也可以將當日的主題利用英文字強調出來。

◀ 因為英文字的部分比較活潑一些，下方的紙膠帶就不多做變化，簡單的撕貼就可以了。

◀ 反觀右側的英文字比較整齊，那底下的紙膠帶，就用活潑一點的方式呈現。

185

## 03 大福村!!

大眼布丁就起床了!出去玩總是可以比上班還早起!跟隹隹的

坐客運的人好多!錯過兩班車終於如願上車,在塞車睡死車子還沒來得及清醒就已在湧入雜的人潮中,再來就是尖叫~可愛動物~尖叫,這樣的循環,海盜每台都不用排隊耶!!

晚餐用了蘆筍玉米筍沙拉加馬來西亞買回來的東炎泡麵!洗完澡開了本年度第1次的冷氣,雖然很心虛,可是不會過敏了!!

## 四 Let's go → → 士林官邸。

賞花小日子。

起了一個大早要去拿盤子結果被遲到的贈方搞得有點不爽,乾脆跑去士林官邸遛狗兼賞花,

這種說走就走的行程總是充滿驚喜,天氣炎熱在官邸大樹下乘涼賞花不只愜意又消暑,relax!又順道去逛了天母的跳蚤市集可惜怎麼沒有挖到寶,有一點小失望

cheer up ⊙

紅豆麻糬有點胃痛,吃太油了啦!!

## 5

BLOKUS

第一次去桌遊店玩,最喜歡格²不入!一直玩不膩又漂亮,好想買回家玩呀!乘坐下的卡坦島、情書、超能牛也很好玩不過最喜歡的就是格²不入哈!

昨晚胃痛今天減緩了,乖吃了胃藥,到晚上就已經好了許多跟凱婷和小B開心²臉消戚突然發現…哎客夏!明天星期一

## ☆ 整齊、乾淨的對稱貼法

想在手帳裡面展示圖片或大量紙膠帶的人，可以參考這樣子對稱的排版。色彩豐富又整齊的畫面，就像是剛整理好的書桌一樣，看了心情好舒爽！

有點展示的意味卻不會太過雜亂，對稱貼法就是有這種好處，更是秀出紙膠帶的大好機會。

◀ 買了新的紙膠帶千萬不要客氣，通通剪一段貼上來吧！

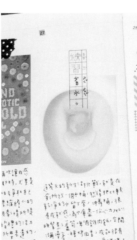

◀ 同樣的貼法也可以融入貼紙來佈置。只要記得控制每一段紙膠帶的長度要平均，看起來就會很整齊囉！

187

如同白底的貼紙在邊框留白的特性，拼貼的時候，適度的留白也能夠凸顯主題，不需要硬是將整個頁面完全填滿，就像是植物也需要呼吸一樣，留給手帳一點呼吸的空間吧！

想要特別強調貼紙的時候，利用留白的特性，讓貼紙可以從手帳中的配角成為主角。若是習慣寫字將手帳填滿的人，也必須留意一下文字與手帳邊框的距離。

▶ 寫得太滿，有可能會影響畫面的美感，留下一點距離，畫面會比較乾淨一些。

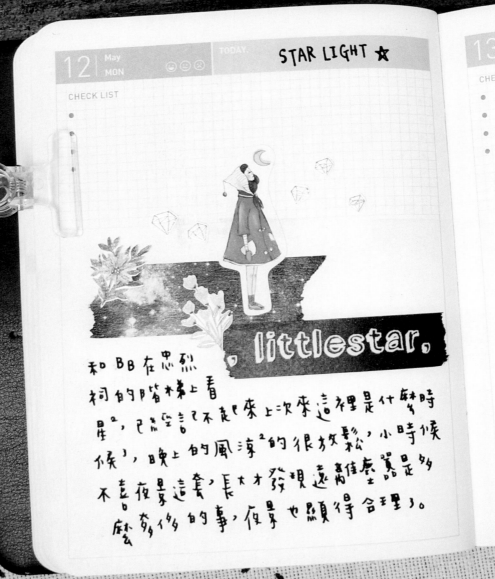

, littlestar,

和 BB 在忠烈
祠的階梯上看
星²，已經記不起來上次來這裡是什麼時
候，晚上的風涼²的很放鬆，小時候
不喜夜景這套，長大才發現遠離塵囂是多
麼奢侈的事，夜景也顯得合理了。

存招
裡厚²一晶
一秒幾十萬
手扶梯

因為視覺重心的關係，在畫面上方留白、將素材與文字集中在下方，看起來感覺會比較穩定，不用擔心畫面太過空白會感覺空虛。

帶點故事性的拼貼，很適合這樣留白的貼法，空白處的延伸更會激發人的想像力。

▲ 仰望星空的姿勢配上留白的頁面，加入金色鑽石圖案的貼紙之後，留白的部分就有了天空的樣子。

▲ 即使手帳內多出空白的部分，但是卻不會讓人感到空洞，這就是留白的魅力呀！

一日一頁的手帳若在書寫時太靠邊，看起來會比較擁擠。因此除了在上方文字裝飾部分留白之外，寫字的時候也可以從距離框線裡面一些的地方再開始寫，視覺上看起來會舒服一些。

文字的大小也會影響留白的區域，不管是距離貼紙或是紙膠帶，越大的字，留白的份量也要多一點。

◀ 裝飾紙膠帶的時候也需要考慮留白部分，不需要將空白處完全補滿，才能保持畫面整潔感。

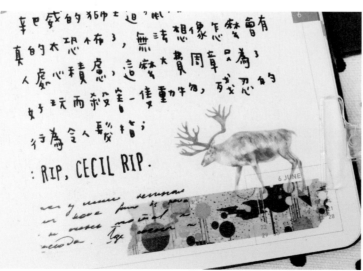

◀ 裝飾的部分和文字也要保留空隙，這樣子視覺的空間可以平均分配，看起來才會俐落大方。

# KEE LUNG

來基隆這麼

多次, 今天才知道原來這

個寫著 KEELUNG 的山上別

有洞天, 下到王後坐在這裡

看車水馬龍的夜景, 有種彷彿回到

壽山的錯視感, 背後是一個有好多

小孩在奔跑的操場, 好喜歡這個

觀景台, 約好了下次再來喔 ♪

CHECK LIST

# Cecil the lion.

辛巴威的獅王遭獵殺的新聞

真的太恐怖了, 無法想像怎麼會有

人處心積慮, 這麼大費周章只為了

好玩而殺害一隻動物, 殘忍的

行為令人髮指;

: RIP, CECIL RIP.

跳脫紀錄平時生活的習慣，遇上無聊的日子，也可以將手帳變為小小的藝廊，展示自己平時想寫卻沒時間寫下的文字與貼紙吧！

像是照片一樣具有美麗風景的貼紙，單獨使用的話也很好看。

◀ 不知道該寫些什麼的話，不如記下一段電影的台詞吧！

不喜歡貼得滿滿的月記事，爽快的留白，製造一些俐落感，表達生活的率性。

▶ 沒有重要紀錄的日子就直接空著吧，不需要想方設法地填滿它們，感覺也很乾淨！

▲ 手繪圖案的周圍如果留白的話，更容易產生突出的主題性。反之如果不將其留白，可能會跟文字融合在一起，存在感會降低一些。

▲ 貼上鞋子之後，寫字的空隙就變少了。與其糾結在小小的空間裡面寫字，不如就大方一點留白吧！

◀ 範圍越大的圖案，留白的部分也要多增加一些，如此才能達到強調主題的效果喔！

遇上想特別強調的事件，留白的做法很有幫助。不一定要把字寫得特別大或強調粗體字，區域性的留白一樣可以達到引人注目的效果。

面對比較小的區域，如果不知道該不該留白，可以先觀察看看剩下寫字的區域多不多。

如果扣掉拼貼之後，可以寫字的地方只剩下一些些，就可以決定留白囉！

Best wish:

may the season's joy
fill you all the year round.

The mode
a thorn, The h

The Lily

while the Lily
delight, Nor a
her beauty bri

puts forth

keep a threat

horn:

shall in love

threat stain

*lram Blake.*

❧7❧ 手作卡片

The secret Life of :

WAITER MITTY

Too see the world,
things dangerous to
come to, to see behind walls, draw
closer, to find each other and to feel.
That's the purpose of <u>LIFE</u>.

做卡片對我來說是很療癒心靈的一件事，在過程中只想著要如何讓收到卡片的人覺得感動，並享受純粹手作的時光，空氣中只剩下手指與紙張的對話，不管是什麼時刻，都能讓心情慢慢平靜下來。

在重要的節日裡不可或缺的卡片，如果能夠利用平時手邊既有的素材來製作，不僅方便又比市售的現成卡片來得特別一些。

跳脫許多人認為卡片一定要立體又搶眼、或是大尺寸的迷思，簡簡單單，乾乾淨淨的模樣，就是我最嚮往的溫暖型卡片，更不會讓收到卡片的人，在欣喜之餘還要煩惱如何收納造型太誇張的卡片，這樣的舉動也會讓人覺得很窩心呢！

▶ 把喜歡的電影台詞抄了下來，做了一張紀念的卡片。

▶ 在紙上畫了一台相機，再使用白底的紙膠帶在角落隨意裝飾。手繪的綠條穿透紙膠帶之後若隱若現的感覺，好像多了一點手作的味道。

單純使用紙膠
帶就能完成的
明信片

像這樣明信片型的卡片，在郵寄的時候常常讓人覺得有些不放心。一方面是紙張厚度比較薄，邊邊角角容易凹到；另一方面是在郵寄過程中，擔心會不小心沾到髒汙而破壞美觀。

於是我想到可以用紙膠帶來混搭，並將整張明信片都包裹住。不僅成果很漂亮，紙膠帶包覆住紙張之後，也增加了紙張的強度。不管是要單張郵寄，或者要再放入信封，都不怕會凹到或弄髒了。

◀ 因為紙膠帶把卡片的邊邊都包裹住了，就不必擔心在寄送過程中會凹到卡片囉！

## 拼貼步驟

(1) 我喜歡直接在文具店購買明信片大小的水彩紙，已經裁切好，拿來做卡片或畫畫都很方便。因為每個人都有喜歡的紙質與紙張顏色，建議喜歡的紙都可以拿出來試試看。

▶ 拿出喜歡的紙張，開始貼上紙膠帶就可以了！

**(2)** 找出自己想要搭配的紙膠帶。害怕不知道怎麼搭配的話，就先從色彩與圖案類似的紙膠帶開始。

◀ 記得紙膠帶要貼得超出紙張邊緣一些，以便留下反折的部分。

**(3)** 貼了一部份之後，就可以用剪刀沿著紙張邊緣平剪，只要寬度足夠反折到背面就可以了。寬度的部分，也能隨著自己想要呈現的效果來做增減。

▶ 因為紙膠帶有黏性會互相沾黏，如果貼完一整張紙再來修剪的話，使用剪刀修剪時難度會增加。我建議先貼一部份就修剪寬度，會比整張貼完再剪來得方便些。

⑷ 在紙張的角落，用刀子割出直角。並將兩側裁切為相同寬度。

⑸ 反折貼合到紙張上，就會發現紙膠帶會變成美麗的框線。

⑹ 因為紙膠帶的圖案不同，所以卡片的背面也會有不同的花樣。

(ㄱ) 雖然是很簡單的技巧，不過卻能完整呈現出紙膠帶最迷人的地方。

## ☆ 同場加映

找出不同的紙膠帶來互相搭配吧！由於使用了不同的紙膠帶，整體組合完成之後的效果每次都會不一樣，也是展示自己紙膠帶收藏的好時機呀！

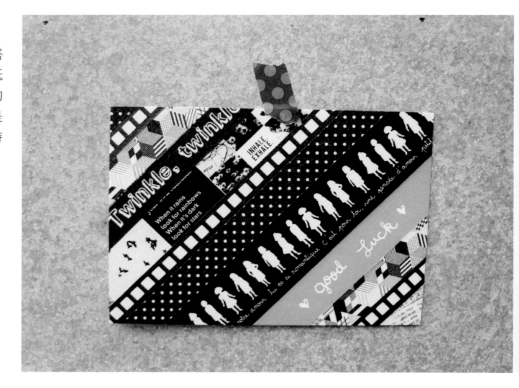

▶ 在紙膠帶上留下祝福的話語，會
讓收到的人更加驚喜，也讓這張
卡片更加獨一無二。

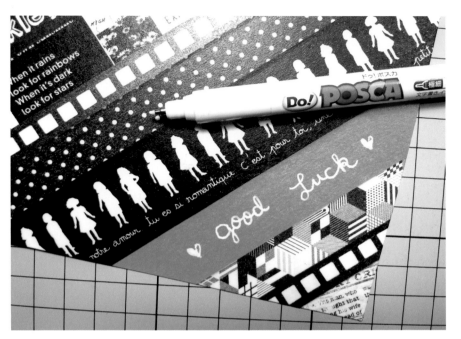

◀ 背面反摺的寬度可以依照自己的需求來做
調整，細一點、寬一點，都可以試試看。

親愛的: 想你了!
你過得好嗎??
MISS YOU SO MUSH!

紙膠帶
造型卡片

在前面的章節有提到運用「離型紙」的特性,可以讓紙膠帶的造型有更多的變化。同樣也能將這個技巧運用在做卡片上面。

◀ 剪下三角形,就變成帽子了!

在離型紙上貼上紙膠帶之後，剪成三角形的形狀，擔心剪的線不夠直的人，可以先在離型紙的背後畫線做個記號即可。

(2) 在卡片上畫上一個人臉，記得要預留帽子的高度喔！

(3) 把剛剛剪下來三角形紙膠帶貼到頭頂，就是一頂漂亮的帽子！最後再寫上想訴説的話語就完成了！

## ☆ 同場加映

運用一樣的技巧，在這裡做了
一個紙膠帶的小房子。離型紙
上剩下的紙膠帶別浪費，用剪
刀剪成大小不一的形狀，也可
以拿來做背景的裝飾。

▲ 簡單的寫上一段話就是最
　能溫暖人心的卡片了。

◀ 運用離型紙上剩下來的紙膠帶剪
　成大小不一的三角形貼在背景上
　當作裝飾。

市面上有些紙膠帶的圖案是可以「對花」的，指的是紙膠帶邊緣的圖案能夠互相連接延伸，這樣的特性可以讓紙膠帶的圖案範圍變得更廣，就能變化出更多不同的造型。

對花本身就是一件非常療癒的事情，看著圖案因為拼湊而變得完整，就像是拼圖一樣。

## ☆ 拼貼步驟

**(1)** 先將圖案貼在離型紙上面，之後
再剪下來就是獨特的造型貼紙了。

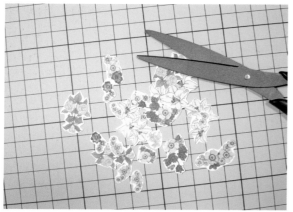

**(2)** 將對花後的圖案
剪下來，就是美
麗的貼紙啦！

**(3)** 先在紙上排列好自己
喜歡的樣子，決定位
置再逐一的貼上。

Best wish:

may the season's joy
fill you all the year round.

▲ 因為紙膠帶比貼紙還要薄，更能
貼合紙面，貼完之後的效果就像
是紙上的插圖，配上手寫的英文
字體也很合適。

◀ 英文的書寫體真的很適合配上花朵的圖案，感覺變得更浪漫了。

▶ 雖然是一樣的技巧，隨著圖案與文字的多寡，看起來的感覺也會不一樣。

即使不會畫畫也可以創作出
具插圖風格的卡片，圖案可
以更靈活變化。

▶ 圖案簡單重複的紙膠帶也可以透過
對花的方式增加圖案面積。剪成心
型之後就是一張簡單的卡片了。